人生の進路相談

高校生と考える

桐光学園大学訪問授業

左右社

高校生と考える人生の進路相談／桐光学園大学訪問授業

第4章

言葉と生きる

第5章

過去を通して人間を知る

第6章

他者とつながる

はじめに

・他者との関わりの中で自己を高めていこう
・失敗を恐れず失敗から学んでいこう
・一生続けられる好きなことを見つけよう

桐光学園中学高等学校校長　中野浩

右の三点は、わたしが桐光学園中学高等学校の校長に就任する際、生徒たちに提示した教育目標です。自分の世界に閉じこもらずにいろいろな経験をして自分の世界を拡げていってほしい。経験を重ねれば重ねるほど、自ずと失敗の数も増えるけれど、失敗からしか学べないこともあるし、失敗から学んだことは必ず身に付くから、失敗をこわがらないでほしい。経験や失敗を重ねていくことで初めはおぼろげだった自分に対するイメージが次第に明確になっていく。自分とはどのような人間なのか、自分の考えとは何か、本当に自分の好きなことは何か、というような自己発見をしてほしいというのが、三つの教育目標に込めたわたしの願いです。

「大学訪問授業」の先生方の著作物はもちろんのこと、講演やその前後の雑談を通して感じられるのは、他者に開かれているということ、心底好きなことがあるということ、です。ご自身の専門分野とは一見関係なさそうな専門外のひとや分野にも興味・関心を抱き、そこで得た知を活かすことで、ますます専門分野を好きになっていく姿をうかがうことができるでしょう。

知的好奇心を喚起してくれる講演をしていただいた先生方には深く感謝申し上げます。

第1章

世界から自分を考える

自分らしさとは何か

磯野真穂

いその・まほ＝人類学者。専門は文化人類学、医療人類学。早稲田大学文化構想学部助教、国際医療福祉大学大学院准教授を経て二〇二〇年より独立。著書に『なぜふつうに食べられないのか　拒食と過食の文化人類学』『ダイエット幻想　やせること、愛されること』『他者と生きる　リスク・病い・死をめぐる人類学』、共著に『急に具合が悪くなる』がある。

今日は、「自分らしさとは何か」というテーマを選びました。みなさんの世代は、「自分らしさ」あるいは個性が大事だ、といわれて育ったのではないでしょうか。世間では一見よいもののように扱われている自分らしさですが、本当にそうなのか、ちょっと疑ってみたいと思います。

わたしは文化人類学という学問を専門にしていて、長らく拒食症や過食症などの摂食障害について、シンガポールと日本をフィールドに研究していました。文化人類学と医療って別々のもののように思えるかもしれませんが、じつはこうしたダイエットに関することも研究対象になるんですよ。自分の外見が気になったり、痩せたいと思っているひとは割合多いけれども、それは本当に自分が望んだことなのか、社会の価値観を内面化しているだけではないだろうか。そんな視点から書いた『ダイエット幻想　やせること、愛されること』▼という本は、今日お話しする「自分らしさ」の話ともつながっています。

わたしたちにとって「自分らしさ」は馴染みのある言葉ですが、じつはこんな言葉をもっている民族はあまりいません。これだけ自分らしさを求める社会は、とても珍しい。

そもそも、自分らしさとは何を指しているのでしょう？　自分らしく生きるということはどういうことでしょう？　今日は文化人類学の視点から、自分らしさの問題に迫ってみたいと思います。

「自分らしさ」が氾濫した社会

導入として、二つの曲の歌詞を引用します。

どんなときもどんなときも　僕が僕らしくあるために
（槇原敬之『どんなときも。』）

NO．1にならなくてもいい　もともと特別なOnly one.
（SMAP『世界に一つだけの花』）

槇原敬之さんの『どんなときも。』は、一九九一年に発表され、当時CDが百万枚以上も売れるミリオンセラーになりました。みなさんにとって「自分らしくあることって素晴らしいよね」といわれるのは当たり前だったかもしれま

▼**『ダイエット幻想　やせること、愛されること』**
過剰な痩せを求めてしまう現代社会の危険性を考察した一冊。その裏にある他者からの承認欲求や、数字と栄養素による食の管理が引き起こす問題点などを指摘しつつ、痩せたいという気持ちとのよい距離感を探っていく。磯野真穂著、ちくまプリマー新書、二〇一九年刊行。

せんが、この曲が発表された当時、「自分らしい」という言葉にはまだ新鮮な響きがありました。その約十年後の二〇〇二年に発表されたのが、『世界に一つだけの花』です。こちらも『どんなときも。』と同様のテーマを歌い、同じく大ヒットになりました。この二曲は、「自分らしさ」の登場と浸透を象徴する例だといえそうです。

今度はデータで見てみましょう。読売新聞と朝日新聞のデータベースを使って「自分らしさ」「自分らしい」「自分らしく」が本文と見出しに現れる数を数えてみました。八〇年代には、一年間で五十三回しか出ていません。ところが九〇年代になると、二千三百七十四回。なんと四十四倍の量です。そして二〇〇〇年代に入ると七千百七十五回。これは二〇一一年から二〇二〇年までも同量です。八〇年代と比較すると百三十五倍です。つまり、二〇〇〇年代になると、新聞を開けばそこら中で「自分らしさ」が見つかるようになりました。このように、自分らしさという言葉が一九九〇年代に登場すると、それが人びとの心を捉え、二〇〇〇年代には社会全体に浸透していったことがわかります。「自分らしさ」が使われるようになったのは、歌や新聞だけではありません。二〇一六年（平成二十八年）の厚生労働白書にも「自分らしさ」が十六回も登場します。このなかには「地域で安心して自分らしく老いることのできる社会づくり」という見出しがあります。高齢者になっても「自分らしく」いましょうと国家からいわれる時代なのですね。部活でよい成績を残せなくても「自分らしく」プレーすればいい、「自分らしい」進路選択をしなさい、病気になっても「自分らしく」生きて死になさい……と、人生のすべての悩みは「自分らしく」あれば解決することになっている。

極め付きに、こんなキャッチコピーがついた電車広告があります。

「スマホの向こうの色んな世界　一つ一つの未来　でもいいねだけが価値じゃないし誰かのリアルはわたしの真実とは限らない　結局最後は自分次第　この世界に自分らしく踏み出していこう」

これはなんと、脱毛の広告なんです。不思議だと思いませんか。なぜ、脱毛すると自分らしく世界に踏み出せるのでしょうか。このように現在は、度を超えて「自分らしさ」へと回収されていく社会になってしまいました。

規範への反発としての「自分らしさ」

では、一九九〇年代以降に、どうしてこんなにも自分らしさが讃えられるようになったのでしょうか?

時代背景から考えると、九〇年代は日本の経済成長の終わりと重なっています。先ほど、新聞記事にも「自分らしさ」が頻繁に出てくるようになったといいましたが、この言葉が多く見られるのはジェンダーやセクシュアリティについて書かれた記事のなかです。つまり、「男らしく／女らしくありなさい」といった規範への反発として、「自分らしさ」という言葉が出てきたわけです。八〇年代は、男性は外に出て長時間働くことが男らしい生き方だとされた一方、女性は男性を支え、子どもを生み育てることが女らしい生き方とされていました。しかしそれまでの社会システムに変化が訪れると、こうした常識なんて古い、「男らしい」とか「女らしい」ではなく自分らしくあればいいんだ、と人びとは考えるようになった。

これはジェンダー・セクシュアリティに関することだけじゃなくて、広く「普通」とされていることへの反発としての言葉だともいえます。「自分らしく家で死ぬ」と最近はいわれることがあるのですが、なぜ家で死ぬことが自分らしいかというと、いまは病院で死ぬのが普通だからです。みんなと違うことをするのが「自分らしさ」のひとつの象徴なんですね。

もちろん、九〇年代以前の日本にはマイナス面もたくさんあったことは確かです。とはいえ、日本はかなり極端な社会で、Aがダメだとなったら、Aを全否定してBに突き進むところがあります。これまでの日本の規範はすべて間違っていたから刷新しよう、と考えた結果、今度はすべてを「自分らしさ」で解決しようとしてしまったのです。それが九〇年代以降にこれほどまでに「自分らしさ」が流行ったひとつの理由です。

ですが、過度に「自分らしさ」が重要視されることで、困ったことが起こりました。

サーチエンジンで「自分らしさ」と一緒に検索されているキーワードのベスト3（二〇二一年）を調べると、一位「自分らしさ　診断」、二位「自分らしさ　例」、三位「自分らしさ　わからない」。

このことが象徴するのは、社会が「自分らしさが大切」といい続けた結果、自分らしさとは何かがわからなくなって漂流するひとが大量に現れているということです。Googleでその意味を検索してみると、「自分らしさとは自分の価値観を大切にして、自然体で言動が行えることです。「らしさ」はそれ自体の特徴がよくわかる状態。それに自分がつくので、自分らしさとは自分の特徴がよく現れている状態ともいえるでしょう。自分らしさに似た類語として、個性・持ち味・キャラクター・独自性などがあります」と出てきます。要約すれば、「自分らしさってなあに？　それは個性のことよ。個性ってなあに？　それは自分らしさのことよ」といっているんですね。同じ言葉を反復しているだけで、こういうのをトートロジーといいます。

「自分らしさ」には他人の承認が必要

「自分らしさ」とは何か。そろそろ、答えをいってしまいましょう。

自分らしさに内容はありません。いわば、何も入っていないバケツみたいなものです。内容がないがゆえに、生まれてから死ぬまでの、人間のあらゆる悩みの解決策として「自分らしさ」を提示することができるのです。それなのに、何かがわかったような気になってしまう。ここに、自分らしさの罠があります。

空っぽであれば何を入れてもよいはずなのですが、自分らしさのバケツに入れられるものは条件づけられています。たとえば、「自分らしさ」とは、周りの意見に左右されずに自分の道を突き進めるひとだといわれることがよくあります。親や先生は「あなたらしくあればいい」というのに、好きなことを選んだら「それはやめておいたほうがいいんじゃないか」と止めたりしないでしょうか。自分らしく選んだはずなのに、その選択は必ず受け入れられるわけではない。また極端な例ですが、自殺や殺人をすることが自分らしさだとどれだけ主張しても、社会はそれを自分らしさだと認めることは決してないはずです。拙著『他者と生きる　リスク・病い・死をめぐる人類学』ではこのように定義しました。

> 周囲の人間の納得も踏まえた上での自己実現であれば、それは「自分らしさ」ではなく合意であろう。実は「自分らしさ」とは、その響きとは裏腹に、ある種の合意の形式そのものを指しているのではないだろうか。

つまり、自分らしく生きていると認められるためには、そのひとの振る舞いが社会に共有されるなんらかの理想を実現していて、そのひとも周囲も心地よい状態であることが必要だということです。

自分の意見を貫かなければ「自分らしく」ない。しかし「あなたらしい」と称賛されるためには他人の承認が必要。これは大きな矛盾です。

「自分を商品化する現代社会」

他者に承認してもらわなければならないという気持ちが強くなると、ある問題が起こります。

少し難しい言葉を使いますが、自分らしさは「個人主義的人間観」というものに支えられています。これはわたしが名付けた用語です。みなさんは、中学生や高校生、あるいはこの講演会の係など、いろいろな役割を背負っていますよね。そうしたあなたを縛る役割から解放されると、「自分らしさ」なるものが現れてあなたを救ってくれる、という現代社会に特徴的な物語があります。それぞれのひとのなかに輝かしい「らしさ」が埋まっていて、それを発掘できれば幸せになれる、というイメージです。

一見これは、非常によい考えに思えます。しかし、こうした考えをもとにして自分らしさを探そうとすると、何が起きるのか。まず、自分と周囲のひとを比べます。そして自分が他人より優れているところを見つけて、「これを自分らしさとしよう」と考えます。確かに、学校ではそれでよかったかもしれません。でも大学や社会に出たら、自分が「自分らしさ」だと思っていたものと同じようなものをもっているひとがたくさん現れます。自分の強み、自分らしさが揺らぐ経験をします。そうすると、似たようなひとたちのなかで自分が一番優れていることをアピールしなくてはいけなくなります。とくにSNSが発達した社会ではこうした競争がすごく起こりやすい。フォロワーというわかりやすい数値で勝ち負けを競えるからです。

自分らしさを探していたのに、結果的に、自分の強みを他人に認めてもらうにはどうしたらいいかに汲々とするようになってしまうんですね。ある一瞬は競争に勝てたとしても、似たようなひとは山のようにいる。そうすると、再び自分らしさが揺らぐので苦しくなるのです。そうやって永遠に他人と自分を比較し続けてしまう。

わかりやすい例が、大学の推薦面接や就職活動です。こうした誰かから選ばれる状況に直面したときに、ひとは自分を商品化する方向へと向かってしまう。この現象を、わたしは「タグ付け」と呼んでいます。実際、こうした「自分らしさ」につけ込んでくる商品がたくさんあります。「あなたを発見できます」と謳った五十万円のセミナーとか、「自分らしくなりましょう」と宣伝する整形や美容商品。そこから逃れるのは至難の業です。

自分らしさを追い求めないひとたち

ここまで「自分らしさ」の負の側面を取り上げてきましたが、一方で、この言葉がここまで普及したのは、人びとがこの言葉に希望を感じたからであるのは間違いありません。自分らしさには弊害があるけれど、それでも「自分らしさ」というものがあるとするなら、それはどういうものなのか。それをみなさんには考え続けてもらいたいと思います。

そのためのヒントとして、ダニエル・エヴェレット▼という言語学者が書いた『ピダハン「言語本能」を超える文化と世界観』▼という本を紹介します。この本のタイトルにもなっているピダハンは、パラグアイの熱帯雨林の中に住んでいる民族ですが、自分らしさなんてなくとも幸せそうに生きている。当然、彼らは自分らしさとは何かと悩んだり、自分らしくあろうなどとは考えません。

著者のエヴェレットは福音派の伝道師で、当初ピダハンを改宗させようと目論んでいました。ところが、ピダハンは誰一人改宗せず、最後にはエヴェレットのほうがキリスト教を捨て無神論者になる。彼はこう書いています。

ピダハンには、抑うつや慢性疲労、極度の不安、パニック発作など、産業化の進んだ社会では日常的な精神疾患の形跡が見られないことだ。だがピダハンが精神的に安定しているのは、抑圧がないからで

▼ダニエル・エヴェレット
言語人類学者。一九五一年生まれ。ピダハンやその言語についての第一人者として知られる。聖書の翻訳・伝道を趣旨とする夏期言語協会（現・国際SIL）より、ピダハンとその周辺の部族への布教の任務を与えられ、伝道師兼言語学者としてブラジルに渡った。マンチェスター大学、ピッツバーグ大学、イリノイ州立大学、ベントレー大学で教鞭をとる。『ピダハン「言語本能」を超える文化と世界観』は世界各国で翻訳され、著者の人生を描いたドキュメンタリー映画も制作された。

はない。(…)

たしかにピダハンは請求書の支払期日を気にする必要はないし、子どもをどの大学に行かせればいいかという悩みとも無縁だ。だが彼らには、命を脅かす疾病の不安がある(マラリア、感染症、ウィルス、リーシュマニアなど)。(…)

わたしはピダハンが心配だと言うのを聞いたことがない。というより、わたしの知るかぎり、ピダハン語には「心配する」に対応する語彙がない。(…)多くの集団は(…)外の世界の便利な商品を手に入れたいという欲望に引き裂かれていた。ピダハンにはそうした葛藤はない。(…)ピダハンは類を見ないほど幸せで充足した人々だ。

▼『ピダハン 「言語本能」を超える文化と世界観』
ピダハンの言語と、それにもとづく認知世界を描いたノンフィクション。著者のダニエル・エヴェレットはピダハンの村に滞在し、三〇年間かけて研究を行った。数の概念、色の名前も存在しないピダハンの文化に触れるうち、著者は自身のなかにある西欧的な常識を揺さぶられていく。屋代通子訳、みすず書房、二〇一二年刊行。

このように、文化人類学の資料や文献を読むと、自分らしさなんてカケラももっていないひとたちがものすごく幸せそうに暮らしている、という事実が見えてきます。

わたしたちの社会は、個人を「点」として捉えがちです。出身校や肩書き、「あなたはこういうひとだよね」というキャラクターといった、固定化された「点」として。でも実際、わたしたちは「線(ライン)」を描いて生きています。ピダハンと関わり、自分の信仰を捨てたエヴェレットのように、世界と具体的に関わり、自分と世界との間に生まれるものを感じることは、あなたにしか描けないラインを引いていくことです。こうした態度で世界に向き合うことで、これまで考えていた「自分らしさ」とは別のあり方を探ったり、あるいはもっと深く、「人間とは、幸せとは何か」という問いに迫ることができるかもしれません。

Q&A

――わたしにとっての「自分らしさ」が、他のひとからは「あなたらしくない」と思われることがあるかもしれません。そういうとき自分を偽って、他人が思う「自分らしさ」にあわせて行動をしてしまうのは悪いことですか?

先ほどもお話ししましたが、「自分らしさ」という言葉が普及したのは、自分を偽って生きることに疲れたと思うひとがたくさんいたからなのだと思います。「偽って生きるのではなく、わたしは自分らしく生きたいのだ」と。

ただ、残念ながら、自分を偽らなきゃいけない瞬間が、生きていくなかでは多々出てくると思います。それは悪いことではありません。そのときに、自分が自分を偽っているんじゃないかという感覚を手放さないでいてほしいです。

わたしは大学で教員をしていたのですが、いまはフリーランスの研究者になりました。大学のなかで思ったのは、自分で自分を偽っていることを認めるのが苦しすぎて、それを認めること自体をやめてしまう大人がたくさんいるということでした。そのほうが楽だからです。

ですが、学問で新しい発見をしたり、社会を変革したりするのは、そうした違和感を手放さなかったひとたちです。自分はここだけは手放したくないという核みたいなものは、死ぬまで持ち続けてほしい。それが何なのかを見つけられると、それが、いい意味での「自分らしさ」を見つける手がかりになると思います。

「これからの世界」を生きるために

ウスビ・サコ

今日は、グローバル化が進む現代に、この日本という国でこれからどういう考えを持って生きていってほしいか、わたしが考えていることをお話ししたいと思います。

不思議な国、日本

まず自己紹介をさせてください。わたしはマリ共和国▼の出身で高校卒業後、国費留学生として中国で六年間ほど勉強してきました。大学院進学を機に日本の京都に来てから、もう三十二年になります。二〇〇二年に日本の国籍も取得しました。二〇一八年には京都精華大学の学長にもなりました。アフリカ出身者で日本の大学の学長になったのは、わたしが初めてです。これまで色々なこ

うすび・さこ＝教育者。一九六六年生まれ。マリ共和国出身。九一年に来日。九九年、京都大学大学院工学研究科建築学専攻博士課程修了。専門は空間人類学。二〇〇二年、日本国籍を取得。アフリカ出身者で初の日本の大学学長として、二〇一八年から二〇二二年三月まで、京都精華大学学長を務める。主な著書に『アフリカ人学長、京都修行中』『ウスビ・サコの「まだ、空気読めません」』など。

とがあり、いまも、自分で把握できないくらい色々なことをしています。日本で暮らすなかで大変なこともたくさんありました。

わたしはよく、「わたしのことをどう思うか」と問いかけをしています。ある高校では、「大きい」「顔が小さい」「色が黒い」「かっこいい」といわれました。大学のゼミで、二年間教えた学生にも聞きました。「トトロ」「外国のひと」「力持ち」「黒い」「アフリカ」「アラブの石油王」「マフィア」。だんだん、ん？という回答になりますが、大学に入ったばかりの学生も、だいたい同じ回答です。みなさんはどうでしょうか。

海外から日本に戻るときにわたしが日本国籍のひとの列に並ぶと、決まって「外国人の列に並んでください」といわれます。あるときなんて空港税関職員の確認の際、わたしのパスポートを見ているのに「How many days will you stay in Japan?」と聞かれました。アイドンノーですよね。そう答えたら怒った顔をされましたが。

ここは関東の学校ですから、ちょっと関西の悪口をいいますね（笑）。京都でおばあさんに道を聞いたら「英語わからへんねん」と返されました。「いや、どこそこに行きたいんですけど」とわたしが日本語で喋っているのに「わからへん、わからへん」って、どうやらわたしの言葉は、おばあさんの耳に届くころには英語になっているらしいのです。

このように「黒人」や「外国人」というフレームを通して見られてしまって、

▼マリ共和国
西アフリカにある共和制国家。首都はバマコ。人口はおよそ二二〇〇万人でイスラム教徒が八〇％を占める。国土の北側三分の一はサハラ砂漠の一部。十三世紀のマリ帝国、十五世紀後半のソンガイ帝国などを経て十九世紀にフランスが植民地化。一九六〇年、フランスから独立。さまざまな民族から成る多言語・多民族国家で、植民地化の影響により公用語は長くフランス語だったが、二〇二三年より、バンバラ語など十三の民族の諸言語が公用語とされた。なお、現在の国号の由来ともされるマリ帝国の始祖スンジャタ・ケイタが、同盟ないし服属した部族の長を集めて定めた憲章は、口承で世代を超えて現代まで受け継がれ、二〇〇九年にユネスコが「人類の口承及び無形遺産に関する傑作」宣言をした。

わたしがわたしとして見てもらえないということはこれまでに非常によくありました。

ただ、五十カ国以上の国を回ってきて感じるのは、日本では、異文化が受け入れられることがとくに難しいということです。現在グローバル化や多様化が進むなかで、日本は非常に閉じた、ある意味不思議な文化を持つ国だと思います。

「母語はひとつではない」

ところで、自分の母語は何か、と聞かれたらみなさんの多くは「日本語」と答えると思います。わたしは違います。まず出身国マリの公用語であるフランス語、それからわたしの民族の言葉はソニンケ語、バマコで生まれ育ったため、地域の言葉のバンバラ語、イスラム……などなど。英語もよく使います。いまは日常的には日本語を話します。だから、日本語も母語の一つといっていいかもしれない。これ、と一つに答えることができません。

わたしには、小さいころから複数の言語が周りにあるというのが当たり前だったからです。

わたしが生まれ育ったマリ共和国は、アフリカ大陸にあります。広さは日本の三倍ほどで、十八世紀ごろフランスに植民地化され、独立後、公用語はフランス語になりました（※二〇二三年にフランス語は公用語から排除）。でも、民族の言葉がたくさんあります。歴史的に、マリはそれぞれ異なる文化と言語を持つ、多くの民族が集まってつくられた国だからです。マリのひとたちは、学校や公式な場所ではフランス語、家や地域では自分の民族の言葉を使います。わたしの場合は、先ほども話したようにソニンケ語。さらに、祖父母や近所に住んでいる別の民族のひとたちの言葉も覚えました。そうしないと意思疎通できないのです。

子供のころ、家や地域といったプライベートな場と、学校など公式の場とで言語が異なるのは大変でした。しかも学校はフランス式の教育なので、自分の思ったことははっきりいいなさい、と教えられる。家に帰ると、自分の思ったことを素直にいうな、と叱られる。まるで多重人格になったような気分です。また、授業で扱う小説には当たり前のように雪が出てきますが、雪降らへんねん、マリでは（笑）。どうも、学校で使う言語と教育はマリの実情に合っていないんですね。

ちなみに、マリでのフランス語の識字率は三一%程度しかありません。学校と生活の場で言語や文化にずれがあることが、この識字率に関係していると思います。

マリの教育制度は日本と同じく六・三・三年制度ですが、小学校一年生から留年することができます。そして、三回留年すると小学生でも強制退学になります。マリの田舎では、親が学校の先生に牛一頭などの賄賂を渡すことがあります。成績を上げてほしいからでしょうか？　違います。子供を留年させてほしいから賄賂を渡すのです。

マリでは、まず家業が一番大事です。勉強はその次。マリの親にとって、学校でフランス語などを勉強させても、いつになったら子供が一人前になるかわからない。農業だったら、十年やれば一人前になれます。マリでは、家や地域で教えるのは、道徳や人間性で、学校で教えるのは、学問です。この二つの教育制度が分かれています。

体を張りまくっていた子供時代

わたしの親はかなり教育に熱心なほうだったと思います。わたしはマリの首都で生まれ、幼稚園に入ったあと当時唯一の私立だったカトリックスクールに通いました。

一方で、長男で初孫ということもあって、祖母や親戚にはとてもちやほやされて育ちました。学校の成績が悪いと、祖母たちは先生が悪い！と怒って、近所のシャーマンに、先生がわたしに恨みがあるのではないかと調べさせたり。父は、これでは将来ろくなことにならないと心配したのでしょう。十歳になると、家から三〇〇キロ離れた小学校の先生の家に預けられました。四十二度の気温のなか、毎日五、六キロ歩いて学校に通う生活が六年間。とても過酷でした。

ちょうどいまのみなさんと同じくらいの年代です。そのころのわたしは、学校の勉強はちゃんとしないといけないと思っていました。でも一方で、超やんちゃでした。たとえば、自転車で岩山を下って血だらけになったり、中国の雑技団に憧れて、家の屋上から飛び降りて頭を打って病院に運ばれたり。一週間に一度は破傷風の注射を打つ生活でした。映画俳優のタトゥーがかっこよくて、マッチで友だちと肌を彫り合った結果、その傷でみんなが感染症にかかったこともあります。そのときは、全員の親に怒られました。

どうしてあんなに体を張っていたのか、いまだに意味がわかりません。すごくもやもやしていたことは覚えています。でも、勉強だけでは、決定的に何かが足りなかった。勉強は一人でするものですよね。自分ががんばれば実力がついてくるし、ひとと争うものではない。一方、遊びは誰かがいないとできません。学校や勉強とはまったく関係なく、友だちと思い切り遊ぶ時間、そういうものがわたしにはとても大事だったのです。そして、このような時間が、自分のその後の人生においても非常に重要な意味を持っていきました。

わたしがこんなにひとといる時間を大事にするのは、育った環境も影響しています。マリの家は、とてもにぎやかです。わたしは三人兄弟でしたが、マリではとても少ないほうで、一番仲の良い友だちは二十八人兄弟の十八番目でした。とはいえ、わたしの家にも二、三十人は常にいました。そのうち二十人は初めましてのひとたちです。都市部に住んでいたので、「街に用事がある」と、色々な人たちが、ぞろぞろとよく家に来ていました。父の田舎の隣の田舎の知人とか。もやは他人ですよね。中には、どこにも行かないまま、一年間、家にいるひともいました。でも誰も怒らないし親も何もいわない。マリではそれがおかしなことではないからです。

中庭で食事をするときには、もっとたくさんのひとが集まります。とくに祭りの日というわけでもないのに、知っているひとも知らないひとも関係なく大勢で食事をして、わいわい一緒に過ごす。それがマリの日常でした。「お前誰やねん」っていう赤の他人から叱られて腹が立ったこともありますが（まあ怒られるようなこともよくしたのですが）、わたしにとっては、色々なひとと接してその人となりを知ることのできる、とても大事な時間でした。

本音で話し合えない日本

だから、その後、大学時代を過ごした中国でも、大学院入学を機にやって来た日本でも、大事にしたのはひとと交流する、コミュニケーションを取る時間でした。今度はこれに体を張るようになったのです。

ただ、日本でのコミュニケーションは、とても大変でした。

マリにいたときのように、日本でも、わたしは家に大勢のひとを呼んで連日パーティーをしていました。翌日になると、必ず近所のひとが来て「にぎやかでよろしいなあ」「楽しそうにしてはるなあ」といってくれます。「褒められている」と思いますよね。それで、引き続きパーティーを開いていたら、ある日、警察が来ました。びっくりして理由を聞いたら「近所のひとから苦情が来ている」と。あれは「うるさい」という意味だったのです。みんな、思っていることといっていることが違う。これが、日本で感じた、大きなカルチャーショックの一つでした。

こういわれたこともあります。わたしがうるさくすると近所のひとがやって来て、「うちらは慣れてるけど、○○さんはどう思わはるかなあ」「○○さんが心配してはるで」。えっ、誰?という感じです。自分の悩みなのに、はっきりとはいわない。他人の言葉を借りてしまうのです。

日本では、なぜ異文化の受け入れが難しいのか。それは、思っていることといっていることが違うこと、そして自分の言葉を持たず、他人の言葉で話してしまうひとが多いことが、一つにはあると思います。

日本に来る前の中国では、まったくストレスがありませんでした。喧嘩ができたからです。中国のひとは基本的に遠慮がありません。わたしが留学した八〇年代はまだ黒人が少なかったので、道を歩いていたら、わざわざ追いかけて来て「色を塗っているのか?」と聞かれたことがあります。また、建築学科の課題のスケッチを外でしていたら、背後にひとが集まって来てあれこれ批評しているので、中国語で話しかけたら、「なんだ！　お前も中国語が話せるのか。友だちになろう」ということがあったり。中国でもわたしは、同じように毎日パーティーを開き、色々な国際問題について、国籍関係なく学生同士で議論し合う勉強会をしていました。お互いにわからないことはどんどん質問をして、素直に自分の考えをいう。だからこそ喧嘩をして、常に本音をぶつけあうことができたのです。

日本では、これがとても難しい。わたしに関心を持ってくれているようなのだけれど、まっすぐに見てくれません。これはつらいことでした。かわりに、血液型や星座を聞いたり、「サコは〜〜っぽいよね」と、自分のものでない言葉を使ったりして、まず、わたしを何かのフレームに入れようとする。

それまで本や映像といったメディアなどから得た知識、「黒人」や「外国人」のステレオタイプを通して見てしまっていて、わたしのことを見ていないのです。

日本は全体的に画一的で、物事やひとを何かにあてはめようとすることが多いです。中学生のサッカーの監督をしたことがありますが、ミニゲームをして、それぞれのポテンシャルを伸ばしながら楽しくやってもらおうとしたら、見学に来ていた親に苦情をいわれました。「全員に同じ技術を学ばせろ」「基礎を大事にしろ」と。サッカーを「楽しむ」ことが非常に難しかった。

この、「全員同じに」というのは、日本の教育が深く関係していると思います。

まず、服装からしてみんな同じです。教える内容もテンプレート化されています。小学校四年生まではみんなのびのびしているのに、五年生、六年生とあがるにつれて、どんどん大人しくなっていってしまう。教育のなかで、人間がモデリング化されてしまうのです。

新聞のオピニオン欄で、いじめについて書いたことがあります。いじめは世界中にありますが、日本のいじめは独特で、やり方がえぐいです。それは、自分の思っていることをいえばいいのに相手にいわないから、いえないからなのです。自分の意見を他人にぶつける練習をしていないからです。これは教育が教えるべきことだと思います。

大学の学生を見ていても、いいたいことを我慢していたり、周囲に合わせすぎていたりして、もやもやしているひとが多いですね。でも、友だちというのは、本当のことをいって見捨てられることはないと思いますよ。我慢しなくていいいし、喧嘩してもすぐに仲直りできます。本音をぶつけ合えて、恨みを持たない。これが本当の友だちです。

「自分を知るために不可欠な力」

日本はとにかく、言葉から教育から社会から、わたしのこれまでのベースとは何もかもが違っていました。だからこそ、とくに学生のころは、自分の寝る時間を削っても、ひととコミュニケーションをとる時間を最優先に過ごしました。

大学院時代には、自分と同じ失敗を繰り返さないよう、外国人学生に日本の文化を教えたり交流をしたりするボランティア組織をつくったこともあります。中学生と英語でコミュニケーションをとりながらお寺をまわったり、自分の夢を描くイベントを行ったり、色々なことをしました。

誤解されたり、色々なことをいわれたりしたこともありますが、そういうときは、相手を責めるのではなく、わたしの説明が足りなかったからじゃないか、情報不足が原因じゃないかと考えるようにしています。その誤解をとくために、また自分のことを話し、コミュニケーションをとり、仲間をつくっていく。

なぜ、色々な失敗に遭っても、わたしはひとと交流し続けるのか。それは、自分を知るには他人の力が不可欠だからです。誰かがいるからこそ、自分を見つめ直すことができる。再発見できるのです。

京都精華大学の学長になる前には、「サーティーズの会」というものをつくりました。三十代の先生を集めて、毎週飲み会や勉強会をして、大学をどうするか意見をぶつけあうのです。そこでまとめたことを、毎月、理事会に提案していました。

でもその後、学長になったとき、わたしは、超孤独になりました。周りのひとが、本音をいってくれなくなったからです。それで、学長室長を年上のひとにしました。学長だからと遠慮しないで、本音をいってください、いつでもわたしを怒ってください、と頼みました。また、スタッフと毎日ランチ会をしました。そうやってお弁当を食べながら意見交換やふざけた話をするなかで、各人の趣味や人柄、このひとにはこういうことをいっていい、自分はこういうことをいわれたら嬉しい、嫌だ、ということがお互いに見えるようになっていったのです。

異文化交流とは、なにも、外国文化や外国のひとと触れ合うことに限らないのだと思います。国籍や文化にかかわらず、他者と関わることそのものが、もうすでに異文化交流です。わたしは、自分のアイデンティティを保持しながら日本社会に入っていくことを大事にしています。これには、他者の存在が不可欠です。そして、そういったアイデンティティを、ぜひみなさんもつくってほしいのです。世界のどこにいても保持できて、誰かに合わせたり、合わされたりすることのないようなアイデンティティを。

なぜなら、それが、これからのグローバル化社会を生きるみなさんに不可欠だからです。今後、わたしたちが一つの文化や社会だけで生きるということはなくなっていくでしょう。あらゆる国のもの、ひと、仕組みが溢れて、自国や自分の常識、価値観だけにしがみつけないようになっていく。このときに、これは違う、と排他的になってはいけません。それは自信の無さの裏返しです。グローバル化とは、それぞれの人種や性別、社会的地位、経済状況、および個人間の違い、あなたとわたしの「当たり前」の違いをそのまま受け入れることなのです。

だからこそ、自身の軸、アイデンティティが必要です。では、それはどのようにつくっていけばいいいか。自分とは何者かをよく考えた上で、すぐそばの異文化のひととコミュニケーションを取り、自分を再発見し続けること、これです。コミュニケーションを取るときは、相手に先入観を持たないこと、自分の持っている既存の記憶でステレオタイプ化しないこと。知識がないと失礼じゃないか、と遠慮する必要はありません。所詮、他者はみんな異文化ですから。知らないことは正直に知らないという。好奇心をもって、気になったことはどんどん相手に聞く。すると仲良くなれます。英語を喋れなきゃいけないということもないです。話すのが苦手なら文字を書けばいいし、足りなければ絵にすればいい。相手と関わりたいという気持ちがお互いに感じられることが大事なのです。

大事なのは「問い」

京都精華大学の学長になって初めての入学式で、「わたしは非常に遠くから来た」ということを学生に話しました。距離の問題ではありません。マリでみんなにちやほやされて過ごしていたころから、いま、日本で初めてのアフリカ出身者として大学の学長になっている。その幼いころから、本当に遠いところまで来た。わたしでも、ここまで来ちゃった、ということです。

みなさんも、何事にも一生懸命に取り組んで諦めなければ、それなりのところにたどり着くはずです。わたしにもできたんだから、みなさんにもできないはずはない。可能性も権利も平等ですから。あとは自分次第です。

そして、常に自分に問いかけをすることを忘れないでください。答えではないです。答えがないことは、世の中にたくさんあります。そのときに大事なのが「問い」なのです。ひととの関係においてもそうです。自分についてもそう。常に自分とは何者かを問い続け、自分の言葉に責任と自信をもって、ひととコミュニケーションを取り、他者を受け入れることを大事にしてほしいです。

最後に、わたしの好きな諺を紹介させてください。これは、わたし自身の大事な精神でもあります。

「早く行きたければ一人で行け、遠くに行きたければみんなで行け」

Q&A

——たとえば、いじめを受けるなどして弱っているひとは、無理にひとと話す必要はないのではないでしょうか?

その「弱いひと」というのは誰が決めるのでしょうか。

わたしのゼミにも不登校や引きこもりのひとがいました。彼らを見て思うのは、誰かが声をかけるべきタイミングを見逃してしまったのではないかということです。

ゼミの講義でアフリカに行く予定だったけれど、二つ三つ質問するだけで泣き出してしまう学生がいました。意味を聞いても答えられない。連れて行っていいかわかりませんでしたが、手続きも済んでいたので一緒にアフリカに行きました。彼女は、最初は周囲を拒否していましたが、アフリカで毎日あれこれとひとに話しかけられたり構われたりするうちに、だんだん心を開くようになりました。

その学生と一緒に暮らしているお姉さんのことを聞いたところ、二人は一年間会話がなかったそうです。「うちの妹は喋るのが嫌いだから」と。日本は何かあったときに、放っておくことが多いですね。でも、自分を閉じてしまうのは自分の問題でもあるけれど、周囲の支援不足でもあるのです。ひとに迷惑をかけられたり、お節介をしたりすることは、時々とても重要だとわたしは思います。

学生と付き合うとき、わたしが心がけているのは否定をしないようにすることと、味方になるにはどうするかを考えることです。弱さは問題ではないです。まず挑戦させる。失敗してもいい。むしろ、失敗することが大事です。そうすれば自分の力や可能性に気づくことができますから。

不登校から学校に来て、チャンスを与えるとめちゃくちゃ伸びるひとはかなりいますよ。「弱いひと」というのはマジョリティのものの決め方です。みんな弱さもあれば強さもある。そのとき誰かが味方になるひとがいれば、自分を見つけ出すことができるし、もっともっと自分を高めることができます。

わたしの思い出の授業、思い出の先生

わたしは中学校、高校や大学で思い出の授業が異なります。中学校では歴史の授業が好きでした。マリの歴史、地域の歴史など、周りに転がっているさまざまな出来事との出会いでもあり、過去と会話するひとときでもありました。先生が歴史好きで、ストーリーテーリングのような、物語風に教えてくれました。

高校のときの思い出は哲学の授業です。マリでは、高校のとき、国語が哲学に変わります。初めて、哲学という科目との出会い、考えることの楽しさ、またさまざまな哲学者の話が楽しかったです。高校生の年頃は、自分の存在、生き方、生きる意味に悩んでいる時期でもあり、自分ごととして考えることができました。先生は、話をさせてくれるし、ディスカッションをさせていただけたので、参加型の授業として思い深く印象に残っています。

やはり大学での建築史の授業が面白かったです。歴史の授業、とくに建築や都市の歴史の授業は旅するような印象でした。

いずれの授業も思い出になるかどうかは先生の教え方次第でした。

わたしの仕事をもっと知るための3冊

山極壽一『共感革命　社交する人類の進化と未来』（河出新書）
ウスビ・サコ『「これからの世界」を生きる君に伝えたいこと』（大和書房）
内田樹、ウスビ・サコ（共著）『君たちのための自由論　ゲリラ的な学びのすすめ』（中公新書ラクレ）

アメリカ研究者による進路相談

渡辺靖

本日のテーマは、進路についてです。わたしは、上智大学を卒業した後ハーバード大学大学院に行き、アメリカ研究者になりました。いまは慶應義塾大学で教員をやっています。この道三十年といったところです。そんなわたしの個人的な経験もふまえながら、「進路選択をする上で重要なこと」をお伝えできればと思います。

「常識が突き崩される」原体験

進路についてみなさんに具体的なアドバイスをする前に、「なぜわたしはアメリカ研究者になったのか」からお話ししなければなりません。

小学校の卒業文集を見返してみると、「将来は新聞記者になりたい」と書いていました。まだ、アメリカの「ア」の字もないころです。高校に進学してからは、テレビやラジオの向こう側の世界にずいぶんと憧れていましたね。それ

わたなべ・やすし＝アメリカ研究者。一九六七年生まれ。上智大学外国語学部英語学科卒業後、ハーバード大学大学院で博士課程修了。現在、慶應義塾大学環境情報学部教授。著書に『アフター・アメリカ　ボストニアンの軌跡と〈文化の政治学〉』『アメリカとは何か　自画像と世界観をめぐる相剋』『リバタリアニズム　アメリカを揺るがす自由至上主義』など。

と同時に、世界を股にかける国際的な仕事をしてみたいという、漠然とした思いもありました。わたしは北海道の出身で、それまで地元を離れたことがなかったので、なんとなく外に出ていきたい意識がずっとありました。

目指したい職業が一つ「これだ！」と心に決まっているわけではなかったものの、海外に行くなら英語ができたほうがいいだろうということで、上智大学の外国語学部英語学科に進学しました。ところが、そこで誤算だったのが、帰国子女や留学経験のある学生ばかりに囲まれてしまったことです。英語に苦手意識のなかったわたしでもさすがに萎縮してしまって、入学早々、奈落の底に突き落とされたような気持ちになりました。

しかし、そのコンプレックスを紛らわすようにして、英語以外の授業に精力的に参加するようになったことで、転機が訪れます。英語学科には、英語圏に関するいろんな科目がありました。たとえば、アメリカやイギリス、アイルランドやオーストラリアについての研究科目。それから、英語という言語自体の研究科目などです。そのなかで、たまたま受けた「アメリカ研究」の授業が異様に面白く、衝撃を受けました。自分の中のステレオタイプ的な「アメリカ像」が全部崩壊していくようなその授業との出会いは、思春期のわたしには、青天の霹靂でした。

地球が誕生してから四十六億年、人類が誕生してから五百万年ほど経ちますが、地球の歴史に比べれば、人間の人生なんて陽炎のようなものでしかありません。もっといえば、広大な宇宙のなかの地球のなかの日本で生まれ育ったわたしたちは、よく見えすらしないシミのような存在ですよね。そんな世界における「共通の価値観」とか「常識」とか「正義」とかって、ほとんど偶然にも近いようなもので、絶対的なものなんて全然なくて、ごくごくちっぽけなんじゃないかということ。大学生になって、そういうことを全部見つめ直したくなっていた時期でした。

それでその勢いのまま、アメリカ研究のゼミにまで入ってしまい、いまに至ります。ですから厳密にいえば「たまたま」そうなっただけで、アメリカという国にハマってアメリカ研究の道に進んだわけではないのです。それよりも、大学生という多感な時期に、さまざまな授業を通して自分の常識が崩れていく体験、目から鱗が落ちる体験をしたというのがものすごく面白かったんですね。それで、こんな驚きを日々感じながら生きていけたら幸せだなと思ったのです。どんな職業に就くとかどんな企業に入るとかは、あくまでその好奇心を満たすための手段であり、本質ではないと直感しました。以降、その確信が「軸」になってさまざまな選択をしていくことになります。

「面白いことに出会えるなら手段を選ばない」

常識が突き崩されるという、ある種の「知的な快感」を得ること自体を職業にできるのだろうか。熟考した末にたどり着いたのが、「文化人類学▼（Cultural Anthropology）」という学問でした。文化人類学は、基本的に「何でもアリ」の学問分野です。アマゾンの奥地に行くもよし、霞が関で政治家を調べるもよし、病院で調査するもよし。どこで何に、どんな切り口で取り組もうと自由なので、「もっとも懐が大きい学問」といっても過言ではありません。文化人類学者は、まさにわたしの求めていたものに合致する職業でした。

少なくとも当時は、文化人類学が一番発達していたのはアメリカだったので、大学三年生のときにはすでに、卒業したらアメリカの大学院で文化人類学を学ぼうと決めていました。卒業後は有言実行でボストンに渡り、ハーバード大学の大学院に進みました。

そして、文化人類学者が必ず行うのが、どこかの組織や地域に一、二年ほど滞在して調査研究をすることです。たとえば、アマゾンの先住民と一緒に暮らして、そのなかで彼らが何を考えどう生きているかを分析する、というのが典型的な文化人類学のあり方です。それでわたしも、調査するフィールドを決める必要がありました。はじめは日本の研究をしようと思っていたんです。日本人で日本語話者の自分が日本を研究すれば、現地の学生や他の国からの留学生の中で、優位に立てるのではと考えました。しかし、ハーバードの担当教員に「なんのためにアメリカに来たんだ」と止められました。「せっかくアメリカに来たんだったらアメリカのことを研究したほうが良い。それはアメリカ人には

▼**文化人類学**

文化の研究を通して、人類や人間とは何かについて考える学問。実際にさまざまな地域や集団のなかに入って、聞き取り調査をしたりともに生活したりすることで、研究を進めていく。これをフィールドワークといい、文化人類学においては、文献での調査以上に重要視される。

なかなかできないことだから」と。このようにしてアメリカ研究者になりました。

元々、こもって本ばかり読むよりも足を使って情報を稼ぐ方が好きなタイプだったので、文化人類学のフィールドワークは性に合っていましたね。ハーバードには六年通って博士号を取りました。そして帰国後、三十七歳くらいのときにはじめて出版した『アフター・アメリカ』▼という本が、運良くいくつかの賞を受賞し、なんだかんだで世間的にはアメリカの専門家と認識されるようになりました。大統領選挙などの際は、「有識者」としてメディアからコメントを求められたりもします。

しかし当時は、自分がアメリカ研究者であるという自覚は正直あまりありませんでした。むしろ、「〝アメリカ屋〟になったらおしまいだ」とすら思っていました。いまでも思いますよ。アメリカでなくてもよかったのです。それどころか、学問でなくてもよかった。ジャーナリストであれアーティストであれ、とにかく面白いことに出会えるなら手段を選ばない、という心持ちでした。本質は永遠に変わりません。自分の常識が崩れていく体験をずっとしていたい。そのための文化人類学であり、アメリカ研究である、ということです。ですから、たとえばもし明日どこかから電話がかかってきて、「うちの会社に来ませんか？」なんて誘われて、それがいまやっていることよりもはるかに面白そうなのであれば、わたしは大学を辞めると思います。突然の方向転換もやぶさかではないということです。

▼**『アフター・アメリカ』**
第二十六回サントリー学芸賞、第一回日本学術振興会賞、第一回日本学士院学術奨励賞、二〇〇五年度アメリカ学会清水博賞受賞。渡辺靖著、慶應義塾大学出版会、二〇〇四年刊行。

「進路選択をする上で重要なこと」

学生時代というのは、「やりたいこと」を探さなければ、何か一つの「突破口」を見つけなければと、必死にもがく時期です。「アメリカ研究者になったのはたまたまだ」「もっと面白いことがあるならいまの仕事を辞める」とわたしがお話ししたことで、まさにそんな学生であるみなさんのことを、肩透かしを食らったような気分にさせてしまったかもしれません。結局は、進路を決めて進学なり就職なりしなければならないのに、「偶然に身を任せてしまっていいのだろうか？」「一体何を目指せばいいのだろう？」と、ますます悩みは深まるばかりでしょう。

人生に「正解」はないのが現実なので、進路選択に関する一つの手頃な「答え」のようなものは、残念ながら提示することができません。しかし「進路選択をする上で重要なこと」ならば、わたしなりに三つほどアドバイスすることができます。

まず一つ目は「ノイズを消すこと」です。世間体は考えずに、親からの期待やプレッシャー、友人からの同調圧力などの雑音を排した上で、自分にとって本当に面白いことはなんだろうと、内なる声に向き合ってみるのです。たとえばいま、K-POPにハマる学生がとても増えています。ハマったきっかけは単に可愛いな、かっこいいな、というだけかもしれない。ですが、ここにはたくさんの可能性があります。K-POPをきっかけに、音楽やダンス、ファッションなどのクリエイティブな仕事に関心を持つようになるひともいれば、歴史や社会、日韓関係のほうに傾倒していくひとも出てくるでしょう。「K-POPが好き」という内なる声を追求しているあいだに起きた偶然の出会いやひらめきが、将来を大きく変える可能性はいくらでもあります。大切なのは、他人に惑わされず、自分自身に集中する時間を作ることです。

二つ目は「軸をもつこと」です。「やりたいことがない」と悩む学生はとくに、企業ブランドや、いわゆる就職偏差値にこだわるような進路の選び方をする場合があります。その戦略は間違いだとは思いませんが、そういった尺度でひとを評価する癖をつけてしまうと、自分や他人の首を絞めることになりかねません。そして、いままさにブランド力があり就職偏差値が高いとされているような企業が、十年後、二十年後も同じようにそのポジションを保っているかどうかは、誰にもわかりません。わたしの場合における「自分の常識が崩れていく体験をずっとしていたい」というような軸があれば、この大学に入れなければ「だめ」だとか、ここに就職できなければ「負け組」だとか、そういった尺度での人生設計をせずに済みます。そうすると、肩の力が抜けて、自然と自分に自信が持てるようになるのではないかと思います。

三つ目は、「基礎体力をつけること」です。軸をもつことは大切ですが、同時に、学生の段階では専門を絞り込みすぎないことも重要です。たとえば、いま話題のChatGPT▼。大学のゼミ生から、「ChatGPTがあるなら大学の先生って存在しなくてもいいんじゃないですか？」と尋ねられたことがあります。生身の人間が抱えられる情報量なんてたかが知れていますから、たしかにそうともいえるかもしれません。かつて想像すらしていなかったテクノロジーが日に日に生みだされ、社会はどんどん変わっていきます。変化の中で生きるためには、そこに適応できるだけの基礎体力が必要です。いま「自分にはこれしかない」と決めつけて、狭い範囲を専門的に学んだとしても、将来はその学問や職業が存在すらしていないかもしれないのです。いざそうなったときにあたふたしないように、幅広い分野に対する知識を貪欲に吸収し、さまざまな状況を乗り越えられる頭の柔らかさが求められる時代になっていると思います。

▼ChatGPT
アメリカの企業Open AI社が二〇二二年十一月に発表した対話型ＡＩシステム。ディープラーニング技術によって、まるで実際の人間と対話しているかのような自然な文章や、質の高い翻訳文を自動的に生成できる。勉強や就職活動に有効活用できるとされる一方で、ChatGPTにレポートを代筆させるような不正が起きる懸念もある。

ここぞというときに勝負を仕掛ける

わたしはAppleの創業者、スティーブ・ジョブズ▼をとても尊敬しています。膵臓がんで亡くなる少し前の二〇〇五年、彼はスタンフォード大学の卒業式でスピーチをしました。『全地球カタログ』▼という雑誌の言葉「Stay hungry. Stay foolish.」を引用したことで知られる、とても有名なスピーチです。

そのなかでジョブズは、十七歳のときに出会って感銘を受けたという考え方を紹介しています。

「毎日を人生最後の日だと思って生きれば、いつか本当にそうなる」

当時五十歳だった彼は、三十三年間毎朝、鏡の中の自分に「もし今日が人生最後の日だとするならば、今日やろうとしていたことを本当にしたいのだろうか？」と問い続けていたといいます。「No」という答えが続く場合、何かを変えなければならない。プライドや恥の意識でがんじがらめになっているひとでも、死に直面すれば、そんなものはどうでもよくなります。目の前に残るのは、重要なものだけ。死への意識があると、大きな決断をブレずに下すことができるというわけです。これは、先ほどの「ノイズを消すこと」「軸をもつこと」とも重なってくる話ですよね。他のひとの人生を生きるのではなく、自分の内なる声に従うこと。単純なようでとても重い言葉です。いまの年齢になって、その大切さをよりひしひしと感じます。

振り返ってみると、自分にも「今日が人生最後の日だったら」という切実さをもって、大きな決断をした経験があります。それはハーバード大学の大学院に進学したことです。

アメリカでの学生生活はかなり厳しいものでした。英語学科出身とはいえ、非ネイティブの自分ができることは限られていました。とくに、ありえない量の宿題には本当に悩まされましたね。英語で三千ページくらいの本を読んで、二十五枚ほどのレポートを毎週必ず提出しなければならないような、地獄

▼スティーブ・ジョブズ
アメリカの起業家で、Appleの共同創業者の一人。一九五五年生まれ。友人のスティーブ・ウォズニアックが自作したコンピューターApple Iを販売するため、両親のガレージでApple社を始める。自ら始めた会社にもかかわらず、三十歳で解雇となる。のちにCEOとして復帰。iMac、iPod、iPhone、iPadなどを次々とヒットさせた。二〇一一年歿。

▼『全地球カタログ』
一九六八年創刊。WEC（Whole Earth Catalog）と略されるアメリカのカタログ雑誌。その名の通り、地球上にある数々の道具や情報が掲載され、ジョブズはスピーチの中で「Googleのペーパーバック版のよう」と評価した。

の日々でした。授業も全部完璧に聞き取れるわけではありません。しかし、発言しないと評価が下がるので、周りの学生と競うようにしてどんどん手を挙げていくしかない。授業が終わったらすぐに図書館に行って、閉館まで延々勉強、家に帰ってまた勉強して……。それを六年続けました。毎日が格闘状態で、平日の睡眠時間はだいたい三時間くらいだったと思います。しかも大学院を出たからといって、その努力が報われるか、職につけるかの保証は一切ない世界です。将来への不安は、常に抱えていました。

でも不思議と、いまではできることならあの時代に戻ってみたいと思ったりもします。あの日々のおかげで、何が起きても乗り越えられるに違いないという自信がつきました。努力はそういった確信をもたらします。「ノーリスク・ノーリターン」という表現がありますが、ここぞというときに勝負を仕掛けていかないと、飛躍はできないのではないでしょうか。そして、その挑戦がたとえ失敗に終わったとしても、そのときはそのときでまた別の道がひらけてくると信じています。

ですから、雑音を排して一度自分の人生について本気で考えてみて、専門を絞り込みすぎない程度に「軸」を探してみる。ある程度それが定まったら、あとは思いっきりその世界に飛び込む。そんなふうにして、みなさんには自分の道を見つけていってほしいと思います。

Q&A

——まさにいま、将来に向けて自分の軸を見つけようと試みているところですが、どうしてもネガティブになってしまいます。どうすればよいでしょうか？

ネガティブになったりニヒリズムに陥ったりすることは、わたしにもありました。五十歳を超えたいまでもたまにあります。ただ、良くも悪くも年をとるとある程度ごまかし方を学習してしまうので、みなさんが現在進行系で経験しているつらさに比べると、少し質の違うものかもしれません。まだまだ頭の柔らかい若者には、世の中の不条理や虚しさがダイレクトに響いてしまいます。わたしも大学院生のころは、いろいろと考え込んでしまい、よく眠れなくなったりしていました。でも、いまとなってはそういったすべての瞬間が自分の財産になっていると感じます。落ち込んだ気分自体をおもいっきり楽しむといったら変かもしれませんが、ぜひそういった感情と正面から向き合って、悩んで、挫折して、自分の糧にしていってください。

わたしの思い出の授業、思い出の先生

Q1：思い出の授業を教えてください

中学二年のときの英語の授業。

Q2：その授業が記憶に残っている理由はなんですか?

担当の先生がクラスのみんなに教科書を大声で音読させた。隣のクラスの授業の邪魔になるくらいの大声で、すごいグループ感があった。

音読は語学学習にとても有効だと断言できます。

Q3：その授業は人生を変えましたか?

英語が好きになるきっかけになった。その後、英語も用いたキャリアを歩んでいるので人生を変えたといえる。

わたしの仕事をもっと知るための3冊

渡辺靖『アフター・アメリカ　ボストニアンの軌跡と〈文化の政治学〉』（慶應義塾大学出版会）

渡辺靖『白人ナショナリズム　アメリカを揺るがす「文化的反動」』（中公新書）

渡辺靖『アメリカとは何か　自画像と世界観をめぐる相剋』（岩波新書）

第2章

文化を読み解く

少女漫画とルッキズム

トミヤマユキコ

わたしの専門は「少女漫画」です。日本の少女漫画のなかで、女のひとの仕事がどう描かれているかを研究しています。たとえば、男女雇用機会均等法ができたころは、出世を目指す女性がキラキラした感じで描かれていたり、バブルが崩壊したときは、フリーターと呼ばれるひとたちがヒロインとして登場したり。いまは、社会的成功を目指してバリバリ稼ぐよりも、年収三百万円くらいでも幸せに生きているヒロインに共感が集まっています。このように、時代の状況と、少女漫画のなかの女のひとの働き方はリンクしている、という見立てで論文を書き、博士号を取得しました。

「ブサイクヒロイン」という存在

少女漫画というと、美男美女の色恋沙汰という印象を持っているひとも多いと思います。もちろんそういう側面もありますが、そこからはみ出すような存

トミヤマ・ユキコ＝ライター、マンガ研究者。専門は日本文学、漫画、フードカルチャー。一九七九年生まれ。東北芸術工科大学芸術学部准教授。二〇二一年から手塚治虫文化賞選考委員。著書に『パンケーキ・ノート　おいしいパンケーキ案内100』『文庫版 大学1年生の歩き方』『少女マンガのブサイク女子考』『10代の悩みに効くマンガ、あります!』『女子マンガに答えがある　「らしさ」をはみ出すヒロインたち』『労働系女子マンガ論!』など。

在についても、いろいろと描かれています。日本社会の美醜やジェンダーをめぐる問題についてもさまざまな作品のなかで描かれているのに、あまり知られていないと感じて、『少女マンガのブサイク女子考』▼という本を書きました。

執筆のきっかけは、大学の学生さんからの何気ない一言でした。漫画の授業をしたあと、雑談として「先生、少女漫画って美男美女ばっかり出てきますよね」といわれました。そのときに、「本当にそうかな?」と思ったんです。研究者は、疑問に思ったことがあればまずはリサーチ。少女漫画というジャンルのなかで、「ブサイク女子」と見なされる、いかにも不美人というような設定のキャラクターは本当にいないんだろうか?　いるとすればどういう扱いを受けているだろうか?と、ゼロから調べていきました。その後、このテーマでウェブ連載をすることになったんですが、ブサイクな主人公に限定してしまうとネタが切れてしまいそうだな、脇役についても書くことになるだろうな、と思っていたのに、いざ蓋を開けてみると、一冊の本に入り切らないくらいの「ブサイクヒロイン」が存在していることがわかりました。全てが爆発的に売れていたり、アニメ化やドラマ化をしたりしているわけではないので、知名度はそれほどでもありませんが、たしかに彼女たちは存在していたのです。

▼**『少女マンガのブサイク女子考』**
少女漫画とルッキズムを題材とした評論エッセイ。萩尾望都、山岸凉子、岡崎京子、安野モヨコなどの大御所から、若手や知るひとぞ知る伝説的作家まで、二十六作品を収録。トミヤマユキコ著、左右社、二〇二〇年刊行。

日本におけるルッキズム

「ブサイク女子」の話をする前に、近年よく使われるようになった「ルッキズム」という言葉について説明しましょう。辞書的には、「外見に基づく差別・偏見」という意味です。ルッキズムというと、「見た目でひとを判断するのはよくない。やめよう」という話になりがちです。それは確かにそうなんですが、われわれが「見る」ことから離れられない以上、それはある種の思考停止にもなりかねません。見たからには、言葉にするかどうかは別として、「この見た目は好き」とか「この見た目は好きじゃない」とか、感情がわくことはありますよね。それはそれで認めながら、どのようにその感情を扱うかを考えるべきです。

ルッキズムは、それ単体では存在しません。人種、階級、ジェンダーなどと複合的に結びついています。日本にはいろいろなルーツを持つひとが暮らしているのですが、その意識を持てていないひとがとても多く、人種という観点が抜けがちです。一方、海外のひとがルッキズムについて議論するときは、最初の段階で人種の話が出てきます。「◯◯人に見えるからこの仕事はさせられない」とか「◯◯人に見えるからこの仕事が向いている」とかいう話です。もちろん、海外にも美醜による差別はあるでしょうが、その前段階に人種と結びついたルッキズムがある。日本では、実際には違うのにイメージだけで「単一民族でみんな中流」と思い込んでいるひとが多く、ここの議論が雑になりがちです。

いまの日本でルッキズムの話をするとき、人種や階級の話はあまりされず、「綺麗か綺麗ではないか」「太っているか痩せているか」など、容姿の問題だけをいう傾向があります。同じテーマでも、日本と海外では軸足の置き方が違うと意識しておいてください。

このように、国によっても感覚が違いますし、美しさは社会的に構築されるものなので、時代や社会状況によって、なにが望ましいかというのは当然変わってきます。「平安時代の美人といまの美人は違う」とか、よくいわれますよね。つまり、自分で自分の顔を見て好きとか嫌いとか思うことは、まったくもって個人的なことではありえないのです。

自分で自分を見るということ

少女漫画を読むだけでも、ルッキズムとわたしたちの関係に気がつくことができます。いくつか具体例を挙げてみましょう。

『圏外プリンセス』▼という作品があります。主人公は「美人」と書いて「みと」という名前の女の子です。そんな名前を親につけられたのに、自分は不美人だと感じ、苦しんでいる、という設定です。この漫画がすごいのは、ブサイクであることの表現に手加減がないところ。コンプレックスの解像度が高くて、それが作画にちゃんと反映されているのです。「自分の見た目が好きではない」

▼『圏外プリンセス』
あいだ夏波による少女漫画。容姿に自信のない中学三年生の目黒美人は、クラスメイトの国松くんに恋をし、かわいくなる努力をする。全七巻、集英社、二〇一四〜二〇一六年刊行。

という話をするとき、みとちゃんは顔面のことだけを気にしているわけではありません。たとえば、髪の毛の癖が強いとか、二の腕がぶつぶつザラザラしているのが好きじゃないとか。実際に、現代の女の子が自分を美しくないと思うとき、顔だけではなく、骨格なども含めてコンプレックスを持つことが多いものです。そういったことを非常にリアルに描いている作品です。

ブサイクでも恋がしたい!! 自分に自信がほしい!! 女として見られたい!! 好きな人に好きになってほしい!! こんな自分を卒業したい!!!! こんなときまで泣き顔泣き声は容赦なくブサイクで――でももうやめよう。傷つくのを恐れて目を背けるのはやめよう

この漫画を中高生におすすめしたい理由は、一貫して「自分で自分のことを見つめよう」ということを描いた作品だからです。自分が自分に向き合っていない状態で世間の評価を気にしても、自分の軸がないからブレてしまう。自分のことをしっかり把握して、自分で自分の美の価値を見つけよう、と。理想論かもしれないけれど、中学生くらいからそんなふうに心のエクササイズをして、自分の見た目との付き合い方を考えられたら、すばらしいと思います。

『エリノア』▼は、知るひとぞ知る大傑作です。かなり昔の作品で、いま五十~

六十代のひとが若いときに読んでいました。作者が十七歳の女子で、本作がプロデビューのきっかけになった作品です。当時読んでいた方に話を聞くと、いかにこの作品が衝撃的だったかを語ってくれます。

エリノアはずんぐりむっくりで、スマートな体型ではないし、髪の毛もボサボサしていて、眉毛は困り眉、目は小さく鼻は上を向いていて出っ歯。肌もすごく荒れているという、ブサイク女子といわれるときにイメージされるものの「全部乗せ」です。少女漫画の作画でできるすべてのことをやっている。ついでに、訛りまである。そんなわけで、同僚の女の子たちからも下に見られています。

そんなエリノアは、魔法の力で美人になります。ある種のシンデレラ物語のようなものですね。自分にも優しくしてくれる王子様に、以前から密かな恋心を抱いているエリノアは、美しくなって彼の前に現れます。美女の正体があのエリノアだと気づいたとき、王子様はどんな反応をするか。結論からいうと、王子様は彼女を拒否します。エリノアはすごく素敵な子で、いじめられても明るく耐え抜いて、愛嬌もあって、悪いところがひとつもない。そんな彼女が美しくなったのに報われないのです。美人は得でブサイクは損というのは本当か？を改めて突きつけてくる作品です。

作者の谷口ひとみさんは、若くして亡くなっています。だから、『エリノア』が残っている唯一の作品。これだけの才能がある作家がその後どう成長してい

▼『エリノア』
谷口ひとみによる少女漫画。一九六六年、「少女フレンド」に初掲載され、翌年「マイフレンド」にも再掲された、第四回少女フレンド新人漫画賞入選作。醜い容姿でお城の下働きをしている主人公エリノアが、魔法の力で美人になるも、報われない恋物語。著者の谷口は、この一作を遺し十七歳の若さで早逝。本作はさわらび本工房より二〇〇八年、二〇一一年に復刊されたのち、著者没後五十周年となった二〇一六年、新たに発見された遺稿を加え『定本　エリノア』として復刊。現在は絶版となっている。

くかは、当時の漫画ファンもみんな楽しみだったはず。残念でなりません。

「女のひとの生きづらさ」

『鏡の前で会いましょう』▼は大人のルッキズムについての物語。主人公たちは社会人です。タイプの違う女性ふたりのお話で、片方がブサイク女子で、もう片方が小柄で女子アナのような雰囲気で「ザ・かわいい女の子」のキャラ。大親友の凸凹コンビなんですが、かわいい子にはかわいい子の悩みがあり、「生きづらいのはブサイクヒロインだけなのか」という問題に切り込んでいます。

並外れて美しく、職場のなかでちょっと目立つひとは、目立ちたくない性格の場合すごく大変なわけです。綺麗に生まれてきてしまったばかりに面倒な目にあう。でも、それを正直にいうと「贅沢な悩みだ」といわれてしまい、なかなかわかってもらえない。作中にこんなセリフがあります。

おひめさまになれない女の子だけじゃなく／おひめさまに憧れない女も／同じように笑われるんだよ

そう、お姫様になれそうなのになりたがらない女性も、後ろ指をさされるのです。「ブサイク女子」以外の立場についても丁寧に描いた、フェアネスのあ

▼『**鏡の前で会いましょう**』
坂井恵理による少女漫画。「可愛い」とは正反対の容姿であり ながら楽しく生きる明子と、美人の親友・愛美が、ある朝入れ替わってしまう物語。全三巻、講談社、二〇一六年刊行。

る作品です。

『大奥』などでよく知られる漫画家、よしながふみ先生の対談集に、こんな一節があります。

女の子が本当に複雑だと思うのは、それで20歳過ぎても彼氏がいないと、今度は、どうしたと言われるわけです。男の人はね、「お前は早く一人前になって金を稼いで妻子を養え」と言われる、それ以外の抑圧ってないんですよ。一本道なんです。（中略）でも女の人は、親から受ける抑圧でさえ一本道ではない。おしゃれにあまりに興味がないとどうしたのかと言われ、あまりにおしゃれにとち狂っているともうちょっとなんとかしろと言われ。途中までは勉強しろと言うものの、東大にまでは行かなくてもいいと言われたり。親と親戚の人が言うことが違っていたりするし、周囲の言うことを全部聞いていると、女の子は頭がおかしくなっちゃうんですよ。

時代は移り変わるものですから、いまは男のひとも抑圧ポイントが増えて複雑になっている気がしつつ、よしなが先生のいうこともわからなくはない。ブサイクだから抑圧されるのかと思って美人になると、今度は美人であることで

▼よしながふみ
漫画家。一九七一年生まれ。『西洋骨董洋菓子店』『きのう何食べた？』など、代表作の映像化多数。なかでも『大奥』は江戸城を舞台に、謎の疫病で男子の人口が急速に減少した社会で権力が男から女に移っていく様を描き、ジェンダーへの固定観念を揺るがす大ヒット作となった。引用は『あのひととここだけのおしゃべり　よしながふみ対談集』（白泉社文庫、二〇一三年刊行）より。

抑圧されてしまう。女の人生にはいろんなところで減点ポイントがあって、みんなが納得する一〇〇点満点をとろうとすると発狂してしまうよという話。いまはおもに女子の問題として語られていますが、このことはいずれ、男子の問題としても語られるだろうと思います。最近は男の子もメイクをするようになってきているし、男性のルッキズムについても議論の対象になっていくでしょう。

少女漫画から学ぶこと

優れた漫画家のなかでは、美醜の問題というのはいつか自分が取り組むべきテーマとして確実に意識されています。短編の読み切りなどで、描かれる場合が多いですね。美しいものを描き続けてきたジャンルだからこそ、「美しいものだけが良いもの」としてはいけないという警句として、ブサイク女子ものというのは描かれ続けているのだと思います。美男美女の恋愛だけを描くと、それが良いこと、と偏った価値観を刷り込むことになります。でも現実には、いろんな見た目を持ち、いろんな生き方をしている人間がいる。そのことに対し、クリエイターは自分なりの解答を示そうとするのだと思います。美人は得でブサイクは損、という価値を強化するようなブサイク女子漫画はそれほど多くありません。みんな葛藤しているし、美しくなることを選ばないヒロインもいて、それぞれに多様な価値観が描かれています。

時代によって美醜の問題をどう克服するかも変化しています。昔だと美容整形手術のハードルがとても高かったので、美容整形をしなければいけない事情があった、と話をもっていくためにヒロインが交通事故に遭ったりする。整形するにも言い訳が必要だった。もっと昔の、美容整形自体が一般的でない時代だと、魔法使いが出てきて、ステッキ一本で美人になる。

また、セルフラブの重要性というテーマもあります。自分を好きじゃない、愛せない、だから見た目だけは変えたい、でも美醜をジャッジする基準は自分の外側にある、というヒロインはとても苦労します。これは「ブサイク女子もの」の共通点といえます。幸せになれるヒロインとなれないヒロインの分かれ目は、セルフラブの意識があるかどうか。これはわたしたちも大いに参考にすべきことだと思います。とくに思春期には、見た目の悩みというのはつきものです。思い当たることがあるひとはぜひ、今日ご紹介したような漫画を読んでみてください。そこで上手な悩み方を真似したり、一方で、これはあくまで現代日本のルッキズムの問題で、海外とはまた全然違うかもしれない、という視点を持つことも大切です。ぜひ少女漫画を使って、上手に悩み、考えてください。

Q&A

――海外で日本の少女漫画にあたるものは何になるんでしょうか？

ガールズコミックといわれるものがあるにはあるのですが、胸キュンの恋愛漫画が主力ではありませんし、日本の少女漫画とはまた別物だと考えたほうがいいと思います。少年漫画には世界共通の部分があって、比較できたりもしますが、日本の少女漫画は独自の発展を遂げてきました。大きな特徴として、内面描写の複雑さがあります。たとえば「◯◯くんなんて大っきらい！」と叫びながら心のなかでは「わたしはなんてことをいってしまったんだろう」と思っていて、いっていることと思っていることの間に引き裂かれがあったりする。日本の少女漫画は、そうした内面描写の技術を磨くことで発展してきました。海外の漫画や日本の少年漫画に内面描写がないというわけではありませんが、やはり日本の少女漫画が積み上げてきた内面描写のテクニックというのは、他に類を見ないものです。たとえば少年漫画の主人公が「海賊王におれはなる！」といった瞬間に、周りが「本当はなりたくないんじゃない？」と疑ってしまったら物語が展開していかないですよね。少年漫画でそれをやったら読者が混乱します。

でも、少女漫画は内面の揺れ動きを描くメディアなので、何かになりたいと口でいっていても、本心ではなりたくないかもしれないし、誰かのことを嫌いといいながらも、本当は好きかもしれないのです。少年漫画が単純だからダメという話ではもちろんなく、海賊王になりたいなら、その思いがスッと読者の心に入ってくることが大事。それぞれに得意分野が違うのです。ただ、時代が進んでいくと、それぞれのジャンルがいいところを真似し合って、少年漫画でも内面の引き裂かれが描かれたり、それを面白いと感じる読者が育っていく可能性はあります。しかし、いまの段階では、日本の少女漫画は世界のガールズコミックと比較しても非常に特殊だといえると思います。

わたしの思い出の授業、思い出の先生

大学浪人時代に通っていた予備校の授業が思い出に残っています。中学・高校時代のわたしは、授業や宿題は単に「こなす」ものであり、一種の苦行だと思っていましたので、苦行を強いる先生のことを好きにはなれませんでした。しかし、浪人が決まり、予備校に入ってみたら、勉強することの面白さがだんだんとわかってきたのです。予備校なんて、受験のためにさらなる苦行をするところだと思っていたのに……これは本当に予想外でした。

予備校の勉強が面白かった理由のひとつは、講師一人ひとりが先生というより研究者であり、ただ知識を詰め込もうとするのではなく、その背景について熱っぽく解説してくれたことが大きいと思っています。そう考えると、わたしは予備校時代に研究の面白さをインストールされていた、ともいえるわけで、いま研究者として活動しているのも、当時の先生たちのお陰かな、と思ったりしています。

わたしの仕事をもっと知るための3冊

トミヤマユキコ『労働系女子マンガ論！』(タバブックス)
藤本由香里『私の居場所はどこにあるの？　少女マンガが映す心のかたち』(朝日文庫)
『少女マンガはどこからきたの？「少女マンガを語る会」全記録』(青土社)

文化とは、文学とは何か

尾崎真理子

おざき・まりこ＝文芸評論家。元読売新聞文化部記者、編集委員、早稲田大学教授。一九五九年、宮崎県生まれ。二〇一五年『ひみつの王国　評伝石井桃子』で芸術選奨文部科学大臣賞、同作品を含む執筆活動により二〇一六年度日本記者クラブ賞受賞。二二年『大江健三郎の「義」』で第七四回読売文学賞を受賞。著書に、聞き手と構成を務めた『大江健三郎　作家自身を語る』、詩人の谷川俊太郎氏との共著『詩人なんて呼ばれて』など。

みなさん、初めまして。今日はちょっと、大きなテーマについてお話ししてみたいと思います。

この春先まで、わたしは早稲田大学の文化構想学部で、現代文学やジャーナリズムに関する授業を行ってきました。卒業研究、修士論文に関する相談に応じて、この春、社会に出た学生のなかには、プロデューサーを目指して映画会社に就職したり、高校の国語の先生になったり、それぞれの夢を実現させて、「文化」の創造を目指す現場で働き始めたひとが何人もいます。

でも、そのひとたちは大学にいる間は、その職業について具体的なことを知るというより、もっと漠然と、「文化」に関わるさまざまな事象や歴史を幅広く学ぶことをしていました。わたしのほうも、ジャーナリズム論やウェブ社会の仕組み、誰にでも正確に伝わる文章の書き方、などの授業を行っていました。そして、大学院の修士課程の授業では、大江健三郎さんの小説をできるだけじっくり読んで、なぜ、その小説がその時代に生まれてきたのか、内容や社会的背景に踏み込んで、一緒に考えることを続けていました。最後に大江さんのことは改めて触れますね。

なぜ、大江健三郎さんについての授業を行っていたかというと、それはわたしが読売新聞の記者として二十五年くらい、大江さんの取材を続けていたからです。途中からは、インタビューを本にまとめる機会なども与えられて、全集の解説も書きました。不思議な成り行きです。でも、新聞記者として「文化」というジャンル、そして「文学」と向き合い、考え続けたことで、自分がつくられてきたんだなあ、と感じています。

あらゆることが「文化」に

わたしが大学を卒業して新聞社に就職したのは、一九八二年のことで、その年から読売新聞は女性記者を定期採用するようになりました。

みなさんは新聞はどんな部に分かれて、取材をして、記事を書いているかご存じですか？

ごく簡単に説明しますと、表紙にあたる一面はその日のトップニュースで、政治や経済、国際問題、大きな事件・事故のニュースが載ります。裏の二面、三面にはその関連の解説記事などで埋まっています。政治、経済、国際問題、ニュースの解説や株価などのページも、広告を挟んで続きます。

真んなかあたりから、スポーツの結果を伝える運動面、それから、これからお話しする「文化」の面。生活、教育、科学などのページ。そして各地域に配られる地元の支局が作っている地方版——ここには季節のニュースなども載ります。最後に、事件や事故を扱う、昔は「三面記事」と呼ばれた社会面が来て、それを取材しているのが「社会部」という、もっとも人数の多い部です。

わたしたちのイメージする「社会」も、いま挙げたような区分けになっていませんか？　みなさんが国語、数学、英語、歴史や地理、と、教科によって頭の中が分類されていることとも似ているかもしれませんね。

それに重ねて考えますと、わたしが三十年近く過ごした「文化部」は、国語と美術と音楽と、歴史と公民と道徳を足したような感じでしょうか。ずいぶん広範囲ですが、これらをすべて含むのが「文化」ということになります。そこでわたしは国語に近い文学や書評などを担当してきたわけです。でも、それだけ長く「文化部」にいて、「文化」と呼ばれるさまざまなニュースを扱っていたにもかかわらず、今日のテーマとした「文化とは何か」、その「文化」という言葉をちゃんと規定する機会は、じつは一度もなかったのです。

なぜだったのでしょう？　ひとつにはこういうことだと思います。つまり、新聞の「文化欄」に掲載される価値があると判断してそれぞれ記者が取材し、デスクがその内容をチェックしたものが、この時代の「文化」の潮流を表す記事、コンテンツとなって、日々、読者に届けられています。それが時代の「文化」であり、その記事の集積が現代の「文化」である、と。そう考えるしかないところが、この問題にはあるんです。つまり、文化とはこういうものですよ、と限定することはむずかしい。その実態は、どんどん時代とともに変わっていく……。

とはいえ、文化の語意を調べてみますと、一般的には次のような二つの意味に大別されそうです。一つは、文学、音楽、美術、演劇など、芸術的な活動によって生まれた作品や実践。これは、芸術や学術の成果を「文化」と見なす考え方によるもので、新聞の文化面もこちらの意味に近い感覚で作られてきました。もう一つは、人間の生きる営みには地域社会、血縁組織などの社会の組織ごとに共有する、固有の決まりがあります。それを「文化」と捉える、文化人類学的な考え方です。

これまで芸術に近い考え方が強かった「文化」という言葉が、最近では後者の意味で使われる機会が増えてきている感じがします。「川崎市民の生活文化水準」とか、「これが桐光学園の文化のスタイルです」といういい方がこれにあたるでしょう。

国境を越えて、経済を中心とした地球規模の交流が当たり前になっていくにつれて、却って、その国の固有の文化の価値が強調されるようにもなってきているんですね。また、「カルチュラル・スタディーズ」という言葉を聞いたことはありませんか？　これは特定の地域や人びとにみられる文化現象から、その社会を分析するという学術的な研究の方法で、イギリスの文学研究から生まれた流れです。日本でも一九九〇年代ごろからさかんになってきました。一つの国の文化を一つのものとして統合して、「これがこの国の文化だ」とまとめてしまう方向に行ってしまいがちな、新聞やテレビなどのマスメディアに対する批判や反省でもあったでしょう。

そこから、いろんな「文化論」というのも盛んになってきました。芸術が文化だと考えられてきた時代から、あらゆることが「文化」の問題として研究される時代に変わってきたのです。

日本独特の近代〝文化〟

さて、日本語で、「文化」という言葉がよく使われるようになったのは明治に入ってからだともいわれます。当時は「芸術」という言葉が価値ある重要な概念として使われる一方で、「文化」は比較的軽い言葉として使われていた形跡もあるのですよ。

たとえば大正時代に入ると、近代性や合理性という特徴を持つデザインやモノに「文化」と付けて、新しさをアピールするのが流行しました。洋風のデザインを取り入れた家屋を文化住宅とか文化アパートと呼ぶ習わしは、第二次大戦後まで繰り返されましたし、文化鍋や文化包丁、サバの文化干しなど、笑っちゃうような事例も結構、まだ残っています。

また、日本語で文化を片仮名の「カルチャー」にしてしまうと、サブカルに傾いた響きのように聞こえますね。実際、先ほどいったように、わたしが仕事をしてきた新聞社の文化部では、一九八〇年代、漫画、ファッション、アイドルといった概念は「文化面」には収まりにくく、それらが記事になって載る機会はずいぶん限られていました。

夕刊の文化欄を構成する主要なジャンルは、まず、文学、美術、思想哲学、考古学など。当時は「芸能部」というのは別にあって、そこで映画や演劇、音楽について扱っていたんですね。そしてファッションといえば生活部——一九八〇年代半ばまで「婦人部」という名称ですらあったのですが、パリコレなどのハイファッションを扱うのは、いまも家庭面です。

漫画などは社会面で、こういう作品が大ヒットして、こんな現象、ブームが起きていますと、それを若者の風俗や流行を伝えるニュースにして、ほんの少し評論家の談話を付けて。そういう一過性のものという扱いで、作品を批評したりする記事はほとんどありませんでした。

ところが、いまでは芸術も芸能もサブカルチャーも、文化面の記事になり、コミケやゲームアプリの動向などを文化部の記者がフォローするのも特別なことではありません。大学でも同様に、サブ＝周縁のものと見なされていた領域が、むしろ「文化」の中央に位置して人気を得ているのは、みなさんも気づいていらっしゃるでしょう。以前は娯楽、エンターテインメントとされていたものも、いまや堂々とメインの「文化」と認められ、批評、研究される時代になりました。

とはいっても、全国紙と呼ばれる大きな新聞社のなかで「文化部」というのは、政治部、経済部、社会部などの主要な部署に比べて、外れたところに位置します。実社会に直接与える影響も目に見えるものではなく、事件や事故のような現場もありません。野球やサッカーをはじめとするスポーツも、いまはとても文化的なものとして見なされていて、サッカーのワールドカップ、ＷＢＣなど、非常に世間の注目を集める催しに関しては、文化的な事象としての考察や歴史的な評価も行われます。

「コロナ禍とイベント」

演劇や音楽ライブなどの大きな舞台は、確かに華やかですね。これぞ現代文化の華です。でも、商業的な成功を得られるイベントはひと握りですし、コロナ禍のような緊急事態が起こったとき、あるいは、リーマンショック▼、古くはバブル景気の崩壊▼のような経済危機が起こった場合、真っ先に予算や予定が削減されることになるのが、まさに「文化」に関連した項目でもあるのです。

でも、舞台やスポーツイベントのない世の中のつまらなさもコロナ禍で実感

▼リーマンショック
アメリカ合衆国で住宅市場の悪化により、低所得者向けにサブプライムローンを展開していた大手証券会社のリーマン・ブラザーズ社が二〇〇八年に経営破綻。これをきっかけに世界規模で経済が悪化したことをいう。日本でも株価が大きく下落したほか、多くの企業が倒産し、不景気が続くこととなった。

されましたよね。また、ゲームやサブスクの音楽や映画がどれほど精神を潤わせる大事な構成要素だったか。「文化」の力ということも、コロナの蔓延で外出自粛期間中、さかんにいわれたことでした。

ドイツのメルケル前首相▼は、コロナ禍が始まったばかりの二〇二〇年五月、「文化が表現するのは、わたしたちであり、わたしたちのアイデンティティだ」という演説を行って、アーティストへの緊急支援をすぐに始めました。遅れて日本でも同様の文化支援が始まりました。

ちょうどサブスクという、定額料金を支払えば音楽や映画をいくらでも視聴できるシステムも普及して、Zoomを使った配信イベントも設営可能になりました。コロナと技術革新の普及という重大な出来事が重なって、いままた、「文化」の概念が、歴史的に、といえるほど大きく変わろうとしているのを感じます。

そして、「文化」というと、やはりイベントです。美術なら展覧会、映画鑑賞、演劇の公演、そういう催しと切っても切れない関係にあるものが多いということも痛感します。多くのひとに見てもらう、知ってもらう、感動をその場で共有して、みんなが高揚感を味わったり、新たな友人ができたり、ハプニングが起こったり……。予測不能の偶然の何かも生じるからこそ、ほかにはない文化の効用というものは発生するわけです。

ちなみに、コロナ禍が始まる前、日本でどのくらいの文化的なイベントが開催されていたか、想像できますか？　二〇一六年に全国で開催された文化・芸

▼バブル景気の崩壊
一九八六年ごろから株式や不動産などを中心に資産価格が異常に上昇し、日本社会全体がこれまでにない好景気にあったが、九一～九三年にこれらの価格が暴落。銀行の貸し渋り、消費抑制、企業収益の低迷などが起こり、ここから、日本は現在まで続く不況に入った。

▼メルケル前首相
一九五四年生まれ。二〇〇五年から二〇二一年まで、四期にわたってドイツの第八代連邦首相を務めた。ドイツ史上初の女性首相。リーマン・ショック、ユーロ危機における経済政策や、ウクライナ危機での停戦合意、二〇一五年の難民危機における多くの難民受け入れなどの政策で知られる。二〇二〇年からの新型コロナウイルス感染拡大の際に行った国民一人ひとりに寄り添うような力強いスピーチは、国内外で評価された。

術関連の催し――その年だけでなくて、回を重ねていく催しとしては、文化庁による次のような数字があります。芸術祭と名の付くものが二十五、音楽祭が二十八。これはクラシックや邦楽関連でしょう、それから演劇祭が二〇、映画祭が一一一、ロックフェスが一番多くて一七二ありました。

フジロック▼とか、サマーソニック▼とか、夏の音楽フェスの名前は聞いたことがあると思います。大学生になったら出かけられるようになります。多様な文化イベントがどのように地域と結び合っているかに関する調査はまだ、あまりありませんが、これから地域振興の有力な手段となるのも、こうした催しだと感じます。

たとえば「瀬戸内国際芸術祭▼」で知られる香川県の直島には、この催しに関連して二〇一四年に六十四万人の来訪者がいたのですが、これがコロナ禍後の二〇二二年には百十八万人と二倍近くまで増えています。観光と文化・芸術の融合の大きな成功例ですね。

このところ、瀬戸内海沿岸に移住する人びとの話もよく聞きますが、コロナ禍とリモート技術の急速な進展が、IT関連の技術者だけでなく、デザイナーや編集者という、文化に絡むビジネスを東京から全国に分散させ始めてもいると思います。

むしろ、コロナ禍というより、情報をめぐる技術革新のほうが、長期的には「文化」にとって、より重大な影響を与え続けていくでしょう。いま、生成A

▼フジロック
フジロック・フェスティバル。一九九七年に始まり、九九年から新潟県の苗場スキー場で、毎年七月下旬から八月上旬に開催される。国内外から多くのミュージシャンが出演する、日本最大規模の野外音楽イベント。

▼サマーソニック
二〇〇〇年から、関東圏・関西圏で毎年夏に同時開催され、国内外のアーティストが出演する都市型のロック・イベント。

▼瀬戸内国際芸術祭
岡山県から香川県にまたがる瀬戸内海の島々で開催される現代美術の国際芸術祭。略称「瀬戸芸」。二〇一〇年の第一回から三年ごとに行われ、国内外のアーティストがてがける、瀬戸内海をテーマとした作品や、海や島々の自然、生活文化とコラボレーションした作品を見ることができる。

Iが恐ろしい勢いでわたしたちの生活を覆い始めていますけれど、わたしたち人間にしか可能にできない「文化」って何だろう、と。世界中で「文化」の力を、改めて検討し始めているのも事実です。

「イギリスが示した定義」

いち早く、一つの形にしようとしたのが、イギリスです。コロナワクチンの開発▼も早かった国ですが、イギリス政府とロンドン大学は二〇一六年に、文化の力をめぐる報告書をまとめています。その日本語訳『芸術文化の価値とは何か▼』という本も出ました。

イギリスでは、「なぜ、芸術文化は必要なのか」「芸術は芸術の発展だけにあってよいのか」という論争がずっと続いていたのですが、文化は経済活動と密接に結びついているし、「創造産業」——芸術の各分野はもとより、映画やコンピューターゲームなどを生産するジャンルなども指しますが、この分野を発展させることが、これからの国力に重要な意味を持つ、だから文化の効果について、大勢の学者や専門家が長い時間をかけて話し合う試みを行ったようなのですね。

でも、ヒット作をどうやって生み出すかという話ではなく、「文化」を発展させることは、社会の安定や、安全で清潔な生活を保つこと、それから一人ひ

▼**コロナワクチンの開発**
新型コロナウイルス感染拡大を受け、イギリス政府は二〇二〇年十二月末に、イギリス製薬大手・アストラゼネカとオックスフォード大学が共同で開発したワクチンを世界で初めて承認した。二一年一月から、イギリスでは世界で先駆けてワクチン接種が開始。

▼**『芸術文化の価値とは何か』**
ロンドン大学のジェフリー・クロシック教授が主導して、イギリス政府が組織した「芸術・人文学研究会」というプロジェクトが二〇一六年にまとめた、そのプロジェクトの報告書。

とりの幸福感、地域活性化などにもたらされる効果は確かに大きなものがあるのだ、と。イギリスの報告書では、そうした目に見えない、数値化されにくい力を説明することに力を注いでいます。

そして、わたしがこの報告書のなかで感心したのは、「文学」が人間にもたらす効果とは何か。その定義とされた、次のような文章でした。


文学は人間の規範を拡げて豊かなものにし、トラウマ、悩み、不十分さ、そして通常は否定的あるいは病的に捉えられがちな体験を受け入れ、許容することを促す。

それは失われ、後悔され、余計なものとされた体験や資源を自発的に取り戻すという深い意味において回復のプロセスに他ならない

なるほど、と思いました。文学と人間の関係を考えると、これは究極の定義に近いようでもあります。「文化」もそうですが、「文学とは何か」。それを端的に定義する力こそ、イギリスの文化の力でもあるでしょう。

みなさんもつらい体験、トラウマにさえなるような出来事に遭遇してしまうことはあると思います。人生ってどうしてこう、うまくいかないんだろう、どうして自分だけ、こんな目に遭ってしまうんだろう、不幸なことがなぜ、いろいろ起こってしまうんだろう、そこからどうやったら立ち直っていけるのだ

ろう……。直接的な回答を、「文学」から得られるわけではないのです。でも、生きていれば、人生にはこのようなことも起こり得る、という理解。そしてそこからの回復のプロセスに、「文学」は非常に力を発揮するということだけは、自信を持って、わたしもここでみなさんにお伝えすることができます。

「文学」はゆっくり読む

そして最後に、大江健三郎▼さんについて少し触れたいと思います。

大江さんは川端康成さんに続いて日本で二人目の、ノーベル文学賞作家でした。一九九四年十月十三日、わたしは成城学園の大江さんの自宅前で大勢の記者たちと一緒に待ち構えていて、門の前で受賞の〝第一声〟を聞いて、記事を書きました。この時、大江さんは五十九歳で、それから今年の三月に、八十八歳で亡くなられるまで、歴代のどの受賞者と比較しても多くの、重要な作品を書き続けた作家となりました。

みなさんにはまだ、難解かもしれませんが、文庫本でも読める『キルプの軍団』などは高校生の男の子が主人公で、読みやすいかもしれません。そして、『「新しい人」の方へ』という、若い読者のためのエッセイ集には、こんなことが書かれていました。大江さんは、「本を速く読む方法」などという広告を見るたびに、それが子どもに及ぼす悪い影響を心配する、と。

▼大江健三郎
小説家。一九三五年、愛媛県生まれ。東京大学在学中に学生作家としてデビューし、一九五八年「飼育」により当時最年少で芥川賞を受賞。六七年『万延元年のフットボール』で谷崎潤一郎賞、八三年『「雨の木」を聴く女たち』で読売文学賞など多数の賞を受賞。九四年には、日本人として史上二人目のノーベル文学賞を受賞した。フランス、アメリカ文学に影響を受けつつ、核兵器や沖縄、故郷の村、長男などを主題に常に戦後文学をリードする作品を発表。二〇二三年歿。尾崎真理子氏は九十年代初頭から記者として、大江氏へのインタビューや評論活動を続けていた。

そして、ゆっくり読むこと、それが本当に本を読む方法なのだ、若いころに鍛えなければならないのは、速く読むことではなく、本をゆっくり読むことのできる力なのだ、と強調されています。「本はゆっくり読むほうがいい」。

デジタルネイティブと呼ばれるみなさんは、速読は得意でしょうし、キーボードを打つのも速いでしょう。でも、それは本当によいことばかりでしょうか。わたしなどは、よい小説、素晴らしい場面ほど読み進められなくて、一旦、目をそらしてしまいます。立ち止まらせて、速く読めない文章、それこそが「文学」であるといいたい気持ちもあるのです。

二〇〇〇年代半ばに「ウェブ2・0▼」と呼ばれる膨大な情報の流通が始まってからというもの、画像にしろSNSの文章にしろ、すべての情報はデータ化された時点で文化的コンテンツ、「文化資源」という、経済価値を持つものになる、という時代でもあります。

そのような現実のなかで、芸術も文化も文学も、スポーツやゲームも、面白いもの、すぐにわかって見栄えのするものに人気が集中し、文化はこれから先、もっと大衆化していくでしょう。

でも、それでいいんでしょうか？　文化は発展していきますか？　文明は果たして先に進んでいくでしょうか？　人間はいまより深く、ものを考えることができるでしょうか？

生成ＡＩをうまく利用すれば、人間のほうも deep learning がいま以上に可能になるかもしれません。でも、そこにあるのは過去の情報の蓄積だけで、未来を創造するアイデアは人間からしか出てこないとわたしは考えます。そして、そのアイデアの結晶が、かつて芸術と呼ばれて尊敬を集めたものであったでしょう。そうした人類の創作物を作る能力を、では、どうやって鍛えるか。いえ、どうやったらこの先、人間は想像力を保っていけるでしょうか。

ウェブ2・0の時代を迎えるまで、多くの家庭が新聞を購読して、テレビの報道番組もいまより充実していました。新聞には大江さんのエッセイのような、ゆったりとした作家の文章もよく掲載されていたし、お父さんもお母さんも、中学生くらいから上の年齢の子どもたちも、同じものを目にして朝、夕に会話する機会がありました。そういう家族のあいだのゆったり、ゆっくりくつろぐ時間こそ、「文化的な生活」で、その国の文化の水準を押し上げる基盤だったのではないかと考えます。いま、そういう機会が減っているとしたら、非常に残念です。

でも、こうしたことをわたしに発言させる機会を与えてくださった、このようなシリーズの授業を長年続けてこられたのが桐光学園のかけがえのない「文化」だと思います。本日はありがとうございました。

▼ウェブ2・0
ティム・オライリーによって提唱された、二〇〇〇年代中期以降、ウェブの新しい利用法を指す概念。情報の送り手と受け手が固定されていた旧来の状態から、送り手と受け手が流動化し、誰もが自由にウェブを通して情報を発信できるようになったことを指す。代表的なサービスに、検索エンジン、SNS、ウィキペディア、ブログなど。なお、現在はグーグル、X（旧ツイッター）などの仲介業者を挟まず、ユーザー自身がデータを保持し正しさを検証、所有、収益化するウェブ3・0も提唱されている。

Q&A

――新聞を読むひとが少なくなっていますが、尾崎先生は、新聞記者という立場から、新聞やメディアは今後どうなっていくと思いますか。

いまは第四次産業革命ともいわれる過渡期です。新聞は、パルプやガソリンを大量に消費します。この二十一世紀において、そのような環境破壊をする新聞は果たして合理的なメディアなのかという意見もあろうかと思います。漫画と同じように新聞もスマホで読みやすい縦スクロールにするのはどうか、家庭用にデジタルデバイスを貸し出すのはどうか、などさまざまな意見を取り入れ、試みをこの先も続けていくしかないのかもしれません。

ただ、これはわたしが大学で学生にアンケートをとった結果ですが、家庭では日経新聞、朝日新聞と情報元を選ぶ一方、自分がネットでニュースを調べるときは情報源を選ばないひとが多いのです。しかし、ネットには芸能ゴシップなどが混在する事実関係が怪しいサイトも少なくありません。また、じっくり解説する記事も乏しいのが現状で、なかなか知識や考えが積み上がりません。新聞がこのままでいいとは思いませんが、ひとまず、みなさんには紙の新聞をめくる習慣を持ってほしいです。依然として、紙の新聞は、情報を見渡して世の中の動きを学ぶのに、一番合理的なメディアではないでしょうか。

わたしの思い出の授業、思い出の先生

Q1：思い出の授業を教えてください

高校の世界史の授業です。

Q2：その授業が記憶に残っている理由はなんですか？

年森先生という、超エネルギッシュな男性のベテランの先生が、毎回、板書を全面に展開しながら、歴史の因果関係を解説されました。そのライブ感によって、複雑な同時代の横の関係、古代から近現代に至る縦の軸が体感され、もっと深く理解したいと知識欲が刺激されました。そのように歴史の脈絡が頭に入ると、不思議なほど年号の伴う暗記も得意になり、世界史は一番好きな科目となりました。そして大学では西洋史を学ぼうと決めたのです。

Q3：その授業は人生を変えましたか？

中学生のころから、小説を読んだり絵を描いたりするのが好きでしたが、「文学少女」といった呼称には違和感がありました。なので大学ではあえて二十世紀初頭の英国のジャーナリズムを卒業論文のテーマに選び、新聞記者を志しました。その後、文芸担当の記者に落ち着いたわけですが、人間の歴史の真実を含んでいることが、文学作品の必須の要件であると、ずっと考えています。

わたしの仕事をもっと知るための3冊

大江健三郎、尾崎真理子（聞き手、構成）『大江健三郎　作家自身を語る』（新潮文庫）

尾崎真理子『現代日本の小説』（ちくまプリマー新書）

尾崎真理子『ひみつの王国　評伝石井桃子』（新潮文庫）

旅する哲学

里見龍樹

さとみ・りゅうじゅ＝文化人類学者。早稲田大学人間科学学術院教授。専門は文化人類学、メラネシア民族誌。一九八〇年、東京都生まれ。著書に『「海に住まうこと」の民族誌　ソロモン諸島マライタ島北部における社会的動態と自然環境』『不穏な熱帯　人間〈以前〉と〈以後〉の人類学』など。

ぼくがどうやって、南太平洋でフィールドワークをする文化人類学者になったか。その順調ではなかった道筋をお話ししながら、文化人類学とはどういう学問かをできるだけ魅力的に伝えたいと思います。結論からいってしまいますが、文化人類学とは旅する哲学なんです。

ぼくの研究のテーマは、メラネシアと呼ばれる南太平洋地域で、現代世界における人間と自然の関係について考えること。南太平洋は、広大な海のなかに無数の島が散らばっている地域です。島々は、沖縄にも見られるような広いサンゴ礁に囲まれています。この特徴的な環境と現地の人びとの関わりを研究してきました。

「文化人類学とはなんだろうか」

フィールドワークをしてきたのはソロモン諸島のマライタ島という島。そこに住む「海の民」と呼ばれている人びとがいて、合計一年半、彼らと一緒に暮らし、その暮らしぶりやその変化を研究してきました。彼らはサンゴ礁のなかに岩を積み上げ、無数の人工の島を築いて暮らしています。人工の島で最大級のものになると数百人が住んでいて、つくられてから二百年以上というものもあります。彼らは海の上に暮らす生活様式を今日まで続けているわけです。

「文化人類学は旅する哲学だ」といいました。哲学ですから、一般常識の外に出て、いろんな物事を深く根本的に考え直します。文字どおり自分が暮らしている世界を離れ、経験したことのない旅を通して、たとえば文化とはなんだろう、歴史とは、自然とはなんだろうと考える。初めて旅行した場所で、何でもない駅前の商店街なのにすごく新鮮に感じられ、普段では入らないお店に入ってみたくなることがあるでしょう。旅をすることで自分の感受性が変わり鋭くなっている。そんな自分に気がついた経験を多くのひとはもっていると思います。じつは文化人類学という学問の哲学的な意味はそのことにあります。

もっと具体的に説明していきましょう。外国のナントカ族の文化を訪ねて、彼らの宗教やお祭りや伝説を研究する。文化人類学にそういうイメージをもっている人も多いでしょう。みなさんのイメージどおり、文化人類学は長期間のフィールドワーク、現地調査を行う学問です。そのようにしてその地の文化や社会のあり方を深く理解しようとする。それがこの学問の目的の一つ。

しかしそれだけが文化人類学の目的ではありません。もう一つの大切な目的は、その地域を深く理解することを通して、人間の文化・社会生活一般に対するひろい洞察を得ることです。世界の人間の文化はじつに多様で複雑で、そしてばらばらであるように見えてじつは共通点があります。そのような視点で人間の文化全体を見ることが文化人類学という学問のもう一つの目的なのです。クリフォード・ギアツ▼という文化人類学者はそのことを「村を研究するのではなく、村で研究するのだ」と簡潔にいっています。文化人類学は、個別と普遍というこの二本立ての目的を掲げてきたということが大切なポイントです。

ここでこの学問の歴史をお話ししましょう。辺境と呼ばれる地域に出向き、いまだ伝統的な生活様式を維持している人びとについてフィールドワークする。この研究スタイルはいまから百年前に確立しました。このスタイルを世界で初めて提示したのは、ぼくと同じように南太平洋をフィールドとしていたポーランド出身のマリノフスキーでした。彼が最初の研究成果を出版したのが一九二二年なので、今日の文化人類学の研究スタイルはようやく百一年目を迎えたことになります。

ところが、こうしたスタイルに対するさまざまな批判が一九八〇年代頃から出てきました。考えてみてください。南太平洋の小さな島にゆけば、その地域に固有の文化が残っているとする、その前提は確かでしょうか。グローバル化が進んだ今日では生活のさまざまな均質化が進みました。「世界の辺境に出かけて見つけた珍しい文化」自体が、研究者やそれを受け取る読者がつくってし

▼クリフォード・ギアツ
アメリカの文化人類学者。一九二六年生まれ。アンティオク・カレッジで哲学の学士号、ハーバード大学社会関係学研究科で人類学博士号を取得。カリフォルニア大学助教授、シカゴ大学助教授・準教授・教授を経て、一九七〇年にプリンストン高等研究所社会科学部門教授。一九八二年よりハロルド・F・リンダー特別教授、二〇〇〇年より同部門の名誉教授。解釈学的アプローチによる「解釈人類学」を提唱し、人類学はもとより、歴史学、社会学、哲学などをはじめとする現代人文社会科学に大きな影響を与えた。二〇〇六年歿。

まったイメージなのではないかという批判がされるようになるのです。

こうして、文化人類学はいわば通常営業ができなくなってきました。何をどういうふうに研究するのか、それをどういう文章で書けばよいのか。学問のやり方や対象すべてが疑われ、問い直されるようになった。その状況で、どういうフィールドワークをして、どういう文章を発表すればよいのか。そのことが文化人類学者全員に問われるようになりました。そのことにぼく自身がどう向き合い、どう模索してきたのか、その経験を、今日はいわば追体験してもらいたいと考えています。

ゼロからやり直せる学問

ぼくが文化人類学を専門とするに至るまで、いろんな挫折がありました。ぼくは東京大学で修士課程まで社会学を専攻していました。しかし大学院進学後、次第に研究がうまくいかなくなりました。研究室の先生たちとも衝突することばかり。追い詰められ、修士課程二年目のころには、このままでは退学するしかないと思っていた。しかし退学しても仕事があるわけではありません。そのときに、ゼロから勉強し直せる学問分野として見つけたのが文化人類学だったのです。

社会学に行き詰まったからといって、では代わりに経済学をやろうというわけにはゆきません。そのための勉強をし、知識を蓄えたうえでなければ研究できない。そもそも経済学は数学ができなければなりません。哲学に専門を移そうと思っても、これも膨大な知識が必要です。フランス語やドイツ語、ラテン語やギリシャ語だって必要でしょう。別の学問分野でやり直すのは、簡単にできることではないのです。

ではなぜ文化人類学ならゼロからやり直しが可能なのか。文化人類学は、フィールドワークを通して異なる環境に身を置き、自分の考えや知識を一旦キャンセルして、そもそも人間にとって文化とは何か、歴史や自然とは何かを問い直す学問だからです。

フィールドワークなら、自分の考えを一旦キャンセルするのですから、行き詰まったぼくでもゼロからやり直せるかもしれない。それに賭けてみよう、そう思いました。二十七歳くらいだったと思います。そういうわけで、遅ればせながらゼロからぼくは文化人類学を勉強することになりました。「いろいろ迷っているようだけど、君は社会学をやるのか、やらないのか、どっちなんだ」。いまでもよく覚えていますが、社会学の研究室で先生にそう聞かれました。社会学はやめます、文化人類学をやり直しますとぼくは答えました。

いきなり南太平洋に

運が良かったことがあります。文化人類学は、図書館で本を読んでいればよいという学問ではなく、研究には海外に行くための資金が必要なのですが、早々にある財団から助成金をいただけることになったのです。助成金をもらってしまったからには、フィールドワークに出かけなければなりません。南太平洋で現地の経済生活を調べる、という研究計画で応募しましたから行き先は南太平洋と決まっています。人生が転がり始めた感じがしました。

ソロモン諸島で長らくフィールドワークをしてきたある先生が、知り合いの現地の人を紹介してくれることになりました。そのひとは英語もできるし、ソロモン諸島の首都にあるホテルに勤めているといいます。そういうわけで二〇〇八年の春、ぼくはもらった助成金を手に初めてソロモン諸島を訪れました。現地に行くと紹介されたそのひとが待っていて、あれよあれよという間にマライタ島に連れて行ってもらうことになりました。そこのある村に着いたのは、ソロモン諸島に到着してから四日後くらいだったでしょうか。その村がぼくの調査地となりました。

さて、ソロモン諸島はそもそもどこにあるのでしょう。日本からずっと南に下ってゆくと、ニューギニア島やオーストラリアがあります。ニューギニア島の東側の太平洋に広がっている島々がソロモン諸島。ぼくの調査地になったマライタ島のそばにガダルカナル島があります。太平洋戦争末期、とても悲惨な戦いが繰り広げられた歴史があります。その島から船でマライタ島に渡るのです。

福井県くらいの面積の、南北に細長いマライタ島には、驚いたことに十一くらいもの言語があります。南太平洋の特徴の一つでもあるのですが、少数言語がびっしりと並んでいる地域なのです。人びとは自給的なスタイルで暮らしている。電気も水道もないようなところで、サツマイモやタロイモを植え、魚を獲っています。

この島のとくに北部に住んでいるひとは、自分たちを「山の民」と「海の民」に二分しています。「わたしは山の民であのひとは海の民だ」というわけです。ぼくがフィールドワークをしたのは、海の民、現地語で「アシ」と呼ばれるひとたちのところです。ちなみに「アシ」とは「海」という意味です。彼らはマライタ島の北東の海岸に沿って住んでいます。

「海の民」の不思議な暮らし

この海の民と呼ばれる人びとはサンゴ礁に何千個も何万個も岩を積み上げ、人工の島をつくってその上に暮らし続けてきました。中でも大きな島の上には小学校や教会まであります。朝になると近所の子どもたちはカヌーに乗って通ってくる。学校が終わるとまた海を渡って帰ってゆきます。そうした島も、ひとが住まないようになると、植物が茂り、二十年もするとジャングルのようになってしまいます。

そんなサンゴ礁の島がこのマライタ島の北東部には九十以上も点在しています。この地域の人びとのこうした不思議な生活様式は、ヨーロッパから来た訪問者たちの間では十九世紀の後半から知られていました。

ぼくが住んでいた地域を少し詳しくいうと、海岸部の陸上にやや大きな村があり、その海岸線に沿って十六の島が広がっている。その島には無人になってしまったものもあります。

では、どうしてこういう生活を営むようになったのか。ヨーロッパ人たちもいろいろな説を唱えましたし、現地のひともいくつかの説明をしてくれます。みなさんも考えてみてください。

主に三つの説があります。現地に暮らしてみると実感できますが、一つ目は魚を獲るのに便利だからという説。ここの人びとは魚を獲り、地元の市場で売るなどして暮らしています。その暮らしに便利だからというわけです。

もう一つの説は、マライタ島では昔、部族間の戦いのようなことが盛んだった時代があり、その際にこうして海の上に住むことには防御のうえでの利点があったという説。これもわかるような気がします。

三つ目の説は現地に暮らすと実感できます。それは海の上に暮らしているとマラリア▼に罹らないこと。マラリアは蚊を介してひとからひとへとうつります。海の上には蚊は来ませんので、この地域の深刻な健康問題の一つであるマラリアへの対策として、とても意味があるというわけです。

こうして考えてみると、この生活様式にどうやらメリットがあるらしいことがわかってきます。しかし、ここでお話を戻しましょう。いまから五十年、百年前の文化人類学であれば、ここにはこんな変わった生活様式があり、こういう利点があると報告すれば事足りたでしょう。しかしそんな研究スタイルには、先ほども説明した通り、さまざまな問題点が指摘されています。ではぼくが見た何を、どのように報告すれば研究になるのか。現地に住み始めて何ヶ月も経っても、ぼくはどうすればいいのかわかりませんでした。

▼マラリア
亜熱帯・熱帯地域を中心に感染者数が多く、世界的に重要な感染症。感染したマラリア原虫の種によって、病型や治療法も異なるが、熱帯熱マラリアでは、早期に適切な対応をしないと、短期間で重症化し死に至ることがある。

思いがけない「ルーツ」

そのように、ぼくはマライタ島で途方に暮れていました。そこからどうやって、研究の道筋を見つけていくことができたのか、それが今日の話の要点です。

何ヶ月もこの地に暮らし、いろいろな様子を見ました。たとえば、陸にある学校に海から通っていた中学生に話を聞くと、彼女たちは生まれてこの方、陸地の上には住んだことがないといっていました。新たに岩をもってきて、島を増築しているような様子も見ました。

さて何をどうすれば文化人類学の研究になるのか。この特殊な生活様式や営んでいる漁業の様子を詳しく知れば研究になるだろうか、苦し紛れにそんなことも考えました。ところが、住み込みを始めてしばらくしたころ、まったく思いがけない話を耳にしました。

驚くことに多くのひとが、いや自分たちは本当は海の民ではないんだ、というのです。いまはこうして島の上に住んでいるが、本当は海の民ではない、と。わざわざ日本から来て調べているというが、気の毒だけど、もう自分たち海の民の伝統文化なんて残ってないよ、とも聞きました。これはどういうことなんでしょうか。

この話には背景があります。考えてみれば、最初から海の上に住んでいるというひとは世界のどこを探してもいない。いま島の上に住んでいるのであって、元々は別の陸地にいたはずです。さまざまな経緯があって、海の上に住むようになったのでしょう。海の民の人びともそう認識している。

例えばある一族には、マライタ島のかなり南のほうから、十から十五世代くらいの時間をかけて移住を繰り返し、その結果、この島の上にたどり着いたという言い伝えがあります。また別の一族の言い伝えもあり、マライタ島の山中に住んでいて、そこから十世代くらいの間にここに来たという話が語り継がれています。つまり、彼らは自分たちは元々は山の民だったというのです。

さて、現地で半年くらいがすぎるころ、また別のことがわかってきました。そういう経緯があって海の民になったという彼らですが、もう海には住み続けられないと盛んにいわれているんです。もう島は捨てて、内陸の山に帰ろうと多くのひとが語る。

土地不足、土地利用をめぐる不安がその背景にありました。ソロモン諸島では医療環境などが改善し、人口は増加傾向にあります。すると山中では不便なので自然、環境のよい海岸部に住むようになる。こうして海岸部や海岸近くの島だけがどんどん人口が増えていきます。これまで海の民は島から近い海岸部にサツマイモなどを植えて暮らしていましたが、その農業のための土地がどんどん不足してくる。

加えて、こうした海岸部で畑にしている土地には、その土地をもっている地主がいるのですが、彼ら地主は古くから住んでいる力のあるひとたちです。言い換えると、移り住んできたひとたち、つまり海の民は立場が弱い。ここにどんどん人口が増えてくると、あとから来た海の民は追い出されてしまうかもしれません。島の上に住み、近くの海岸の土地を耕すような暮らしはもうできないのかもしれない、自分たちが安心して耕せる土地を見つけなければならない、と思うようになっているのです。

「わたしもリサーチしている」

こうして、もう自分たちは海の上に暮らせない、内陸部のどこかに安心して住める土地があるはずだという話がいまマライタ島の海の民の間で広がっています。そんな背景があり、彼らはぼくに、自分たちはいま海の上に住んでいるが本当は山の民なんだといっていたのです。

ぼくがフィールドワークで直面したのはこういう状況でした。海の上に住んでいるのがこのひとたちのユニークでオリジナルな生活様式だと思っていたのですが、現地のひとはまったく逆、これは仮住まいなんだというのです。これは驚くべき状況でした。彼らは山に帰り、自分たち本来の生活様式を取り戻し、アイデンティティを回復するようなプロジェクトを追求している。

エピソードを紹介しましょう。住み込みをしていた村の隅に、そのまま飲んでもいいようなすごくきれいな水が流れている川があります。暑い土地ですからよく水浴びに行く。ある日の夕方、この川に行くと先客がいました。初対面のおじさんでしたが、全身石鹸まみれにして水浴びをしていたのです。ぼくはおやっと思いましたが、おじさんも驚いていました。なんでこんなところに外国人がいるのか、と。おじさんに聞かれ、日本から来た人類学の学生で、あなた方、海の民の文化を研究しているんだと答えました。

そうするとそのおじさんは、わたしもリサーチしている、というのです。海外からやってきた研究者がそういうならわかります。でも現地のひとがそんなことをいう。彼らは、内陸部の自分たち本来の住み場所を特定するために、部族の長老などに話を聞いたりしているのです。何世代も伝わってきた言い伝えを調べ、どのあたりに住んでいたのか、自分たちのルーツを必死に調べている。その作業を彼らはリサーチと呼んでいました。

ある長老は年代物のノートを大切に保管していました。見せてもらうと、何世代もの系図が書いてある。そうやって自分たちの祖先のことを明らかにし、記録することが行われていました。

世界の僻地にやってきて、何百年も変わらない生活を営んでいるひとたちのことを知る。ぼくも最初はそういうふうに感じていましたが、克明に眺めてゆくと、実際にはこの辺境においてこのような思いもかけない動きが起きていました。

文化人類学は旅する哲学

日本からやってきた研究者も現地のひとも、リサーチしている。その言葉の背景はこういうことでした。

じつはこのマライタ島は文化人類学者のあいだでは、とても有名な島です。いまから七十年ほど前、太平洋戦争の終わった直後、この島では反植民地運動、独立運動が起きました。イギリス人たちの統治を拒否し、新しい政治をつくろうという運動です。その過程で、自分たちの歴史や伝統を調べて記録しようという動きがあった。それをいわば憲法のように自分たちの自治の土台にしようというわけです。この活動は当時、まさしくリサーチと呼ばれました。言い換えれば、このマライタ島のひとたちは過去七十年にわたって、ずっと自分たちのそもそもの歴史がどのようなものなのかリサーチし続けてきた。そしてそれがいまでも続いているのです。

ぼくにはここでは何百年も同じようにこの独特な生活が続いているのだろう、という思い込みがあった。ところが現地に行ってみて、一緒に暮らしてみると、じつは激動の社会です。この激動こそ、文化人類学的に記録すべきことではないかと思うようになりました。これまでの文化人類学とは違うことができそうだ、とぼくは発見しました。現地のひとたち自身が疑問視し、生じている不安定な状況こそを調べ、考察し、記録する。それこそがやるべきことではないのか。半年くらい現地に住み込み、ようやくそうわかってきました。

それはある文化を外から見て報告することではありません。本当はわれわれは誰なんだろうか、どこから来て、これからどう暮らすべきなんだろうか、そんな自分自身への問いかけのなかに、文化人類学者自身も入ってゆくこと。その作業はすなわち、今日の世界で、ある場所の文化を問題にするとはどういうことなのか、その文化を書き表すにはどうすればよいのか、そんな学問的な問いに正面からぶつかることでした。

このように自分自身の営みを反省し問い直すことになる状況を、再帰性といいます。客観的に対象を研究するのではなく、対象に対する問いかけそのものが自分に跳ね返り、ぐるぐると循環するような状況に置かれてしまう。

文化人類学は旅する哲学であるといいました。ぼくがマライタ島にフィールドワークに赴き暮らし、現地のひとたち自身が自分たちの歴史や文化を問い直しているということを見つけた。確固とした固有の文化が展開しているのではありませんでした。もっと複雑でダイナミックなものでした。ではそうして文化を研究するとはどういうことなのか、研究のためにやってきた自分自身がどんどん揺らぎ、変容してゆくような経験をしました。このような経験を通して、文化とは何か、歴史や自然とは何かを考えることができる。それが文化人類学という学問です。そしてこの旅する哲学はとても魅力的で、いまこそやらねばならないことだと考えています。

Q&A

——人類学者というとレヴィ＝ストロース▼などの名前が思い浮かびます。ある部族の研究などを通じて、どういうシステムが働いているかを明らかにするものでした。先生のいう文化人類学はどう違うのですか？

すごくいい質問です。おっしゃるとおり、レヴィ＝ストロースなどは、アマゾン奥地などに住み、原始的だと思われている人びとも、彼らは彼らでとても論理的で合理的な思考をしているのだと示しました。わたしたちとは異なるバージョンの論理性や合理性があるというわけです。そのことは西洋世界に対する鋭いメッセージでもありました。ぼくもそれとごく近いことをやっていると考えています。

ぼくが見つけたおもしろい事実があります。海の民がサンゴ礁の上に島をつくって暮らすという生活様式ですが、じつは西洋人による植民地化のあとででてきたスタイルなんです。びっくりしますよね。グローバル化や観光地化もそうですが、ある伝統的な生活様式が、西洋からの波によって変化、衰退するとイメージしてしまいがちです。ところがこの海の上の暮らしはその逆です。西洋人が来るようになって突然、何十もの島がつくられ、そこで暮らすようになったんです。こんなにも人びとの暮らしや文化は流動的でダイナミックなんです。

一見して伝統的な生活に縛られているように見えるマライタ島の人びとのなかにも、自分たちの暮らしを問い直し、新しい自分たちを見出そうとする激しい動きがある。それをぼくらはキャッチしなければならない。それを通じて、そもそも文化や歴史をわたしたちはどう認識することができるのか、問い直さなければならない。レヴィ＝ストロースがぼくらの思考と彼らの思考を結び付けて論じたように、自分たちとは何者かという問いを、彼らとぼくらは共有することができる。そのことをメッセージとして届けたいとぼくは思っています。

▼**クロード・レヴィ＝ストロース**
フランスの文化人類学者。一九〇八年生まれ。「構造主義の父」と呼ばれる、二十世紀最大の人類学者。パリ大学卒業後、リセで哲学教師を務めたのち、一九三五年にサンパウロ大学社会学教授としてブラジルに赴任。インディオ社会の実地調査にあたった。一九五九年、コレージュ・ド・フランス社会人類学講座の初代教授。主著に『悲しき熱帯』『構造人類学』『野生の思考』『神話論理』など。二〇〇九年歿。

わたしの思い出の授業、思い出の先生

Q1：思い出の授業を教えてください

学部生のころ留学していたカリフォルニア大学バークリー校でのフェリペ・グティエレス先生の授業です。

Q2：その授業が記憶に残っている理由はなんですか？

先生と学生が丁々発止と意見を交し合う、究極の双方向型授業でした。内容は、古典から現代に至る社会学理論を精密に読み解くというもの。先生が提示する読解が非常に刺激的で、毎週の授業が待ち遠しくてしょうがなかったことを覚えています。

Q3：その授業は人生を変えましたか？

あるときグティエレス先生がこういいました。「お前たちは、理論的な文章を読むとき要点だけつかめればいいと思っているだろう。そうじゃないんだ。小説を読むように理論的な文章を読め」。社会学理論を深く理解するためには、それだけ綿密で繊細な読解が求められるということです。先生のこの教えは、現在に至るまでわたしの座右の銘になっています。

わたしの仕事をもっと知るための3冊

レヴィ＝ストロース著、川田順造訳『悲しき熱帯Ⅰ・Ⅱ』（中公クラシックス）

ミシェル・レリス著、岡谷公二・田中淳一・高橋達明訳『幻のアフリカ』（平凡社ライブラリー）

里見龍樹『不穏な熱帯　人間〈以前〉と〈以後〉の人類学』（河出書房新社）

第3章

角度をつけて社会を見る

生きものと共につくるアート

AKI INOMATA

AKI INOMATA＝アーティスト。一九八三年生まれ。東京藝術大学大学院先端芸術表現専攻修了。生物との関わりから生まれるもの、その関係性を提示している。ニューヨーク近代美術館、ナント美術館、国立トレチャコフ美術館、国立台湾美術館、金沢21世紀美術館、森美術館、十和田市現代美術館など、国内外で展示。

わたしはアーティストとして現代アートの制作をしています。現代アートと一口に言っても、すごくさまざまな表現や方向性があるのですが、わたしのプロジェクトは、生きものと関わりながら制作していることが多いのがユニークな点だと思います。わたしが現代アートを代表しているわけではなく、むしろ特殊なケースかもしれません。今日お話しすることは、なんらかの知識を身につけたり、学問的な理論体系を会得するといった勉強とはまったく違うと思います。アートというのは、まっさらなキャンバスのようなもので、ある意味では何をしてもいい。もしかしたら自由研究に近いかもしれません。わたしの活動を通して、「こんな発想もあるんだな」とアイデアの出し方を知っていただいたり、学問領域を超えて探求する事例として参考にしてもらえればと思います。

最初に、いまのような制作スタイルになった背景を、少しだけお話しします。わたしは東京の都心で生まれ育ちました。立ち並ぶ鉄筋コンクリートのビルと、交通網の張り巡らされた都市空間。それがわたしの原風景です。大自然や田園風景は、テレビの向こう側でしか見ることのできないものでした。けれど、通っていた小学校は少し違いました。大学のキャンパスのなかにあり、あまり手入れされていない雑木林やイタドリ▼の生えている広場など、自然に触れることのできる空き地がありました。放課後はいつもそこで遊んでいて、生きものを捕まえたり果物を採ったりしました。コンクリートジャングルとは違って、赤トンボやコオロギなど、多様な生きものたちに触れることができたのです。わたしにとって、とても貴重な場所でした。都市空間のグレーと、大学キャンパスの小さな緑、幼少期に行き来した二つの場所のコントラストはわたしの原体験として、いまの活動——人間のテクノロジーと動物たちの習性を組み合わせたり、生きものたちとの種を超えたコミュニケーション——への関心につながっています。それでは、これまでつくったアート作品をいくつか紹介したいと思います。

▼イタドリ
山野や土手に自生するタデ科の山菜。春先にタケノコ状に伸びる若芽は皮をむき食べられる。薬用にも使用される。

「ヤドカリから始まった生きものとのコラボレーション」

ひとつめは、ヤドカリが出てくる《やどかりに「やど」をわたしてみる》と

▼図1
作品《やどかりに「やど」をわたしてみる》

いう作品です（**図1**）。

ヤドカリは成長していくにつれて、大きな貝殻へ引っ越しをします。カタツムリなどと違って、ヤドカリの殻は身体の一部ではないので、成長にともなって貝殻を替える必要があるのです。その習性を見て、わたしがつくった殻へ引っ越しをしてもらうプロジェクトを考えました。この透明な殻は、東京、パリ、ニューヨーク、など世界各地の都市であったり、ベルリンの国会議事堂、北京の天壇、オランダの風車、モロッコのアイット・ベン・ハドゥなど、建物や集落をモチーフにしています。ほかにも良寛という僧が住んでいた「五合庵」をかたどったものもあります（**図2**）。ヤドカリが背負っていた貝殻をCTスキャン▼して、それをもとにCGでデザインし、3Dプリンタ▼で出力してつくっています。

ヤドカリは中のツルツル度合いや大きさで、引っ越すかどうか決めているようです。ハサミをうまく使ってサイズを測って中をチェックしたり、中に石が入っていたりすると取り除いたりもします。オカヤドカリという陸にいるもの、海の中にいるヤドカリ、どちらにも引っ越ししてもらったことがあるのですが、展覧会の際には夜行性のオカヤドカリよりも海の中にいるヤドカリのほうが向いているので、海水が入った水槽を展示していることが多いです。

この作品の始まりは、二〇〇九年に東京・広尾にあったフランス大使館の旧庁舎で開かれた「NO MAN'S LAND 創造と破壊」▼という展覧会です。旧庁舎

▼図2
《五合庵》

Photo:Mareo Suemasa

▼CTスキャン
対象物にX線を照射し、通過したX線を読み取って輪切り画像を作成する。それらを重ね合わせ、立体的な画像として表示することが可能になる。内部構造を含む三次元データへ変換することもできる。

は同施設内の新庁舎に移転のため取り壊しが決まっていて、その節目に展覧会をすることになったのです。そのとき、旧庁舎の土地はこれまでフランス領だったのだけど、解体後は日本に返還されるのだと聞きました。そしてまた六十年経つと、フランスの領になるのだと。

同じ土地なのに国が変わっていく。それが興味深く感じられました。日本は島国なので国境が比較的固定的だと思ってしまいますが、じつは世界では国名が変わったり、戦争で国境が変わったりといったことが何度も起きています。そのような移り変わりをヤドカリで表現してみようと思いました。フランス大使館の展覧会で発表したのは、日本の二階建ての家屋とフランスのアパルトマンをかたどった殻をつくって、ヤドカリがその間を行き来する作品でした。

フランス大使館という土地柄もあって、展覧会にはフランスと日本に関係するひとが多く訪れました。二つの国を行き来するひと、フランス国籍から日本国籍に変えたひと、反対に日本国籍からフランス国籍にしたひと、二国の国籍をもつひとも。観てくださった方が「ヤドカリが自分のようだ」とおっしゃることもありました。それを聞いて、移民の問題や、国籍は固定的ではなく可変であることなどを、この作品を通して考えてもらえるのかもしれないと気づきました。そのような経緯で、この展覧会以降もいろいろな国の都市の殻をつくり、プロジェクトを続けています。

じつはまったく違う思考の共作相手である生きものとコラボレーションする

▼3Dプリンタ
三次元データから、樹脂などを幾層にも積み上げることで立体物を成形することができる装置。液体樹脂や粉末材料で層をつくるなど、さまざまな方法で造形される。

▼「NO MAN'S LAND 創造と破壊」
取り壊し前のフランス大使館の旧庁舎で開催された展覧会。「NO MAN'S LAND」は、無人地帯、所有者不在の土地、軍事的な緩衝地帯を意味する。アート、デザイナー、建築などの領域で、国内外からアーティストが参加した。二〇〇九年に始まり、二〇一〇年一月末まで開催。

というわたしの制作スタイルは、この作品から始まりました。出世作というのでしょうか。その後、この作品が海外のウェブメディアで取り上げられたことを契機に、世界各地の展覧会に参加させていただき、本格的にアーティストとして活動するようになっていきました。

かつていた馬へのアプローチ

次は絶滅してしまった生きものとのコラボレーションです。これは、青森県の十和田市現代美術館で個展をした際につくった作品です。《ギャロップする南部馬》（**図3**）といい、十和田に滞在して制作しました。

青森の十和田には、その土地のシンボルとされている南部馬という日本の馬がいました。資料があまり残っていなくて、写真もほとんど残っていません。ちょっと脚が短くて頭が大きい。筋肉質でプロポーションが競馬の馬などとはまったく違うことがわかると思います。和種馬という日本古来の馬で、畑を耕したり、ものを運んだり、人間とともに生活してきました。この馬は、軍用に使うという政府の方針で、西洋の馬との交配が進められ、そのために絶滅してしまったのです。その話を聞いたときに、人間によって絶滅させられたその馬に想いを馳せてしまいました。

でも、どうやって絶滅した馬とコラボレーションしたらよいのか。そう考え

▼**図3**
作品《ギャロップする南部馬》

ていたところ、最後の南部馬の名馬といわれた「盛号」の骨格標本が、岩手の盛岡農業高校に残っていることがわかりました。また十和田は雪深いところで、しみ出した地下水が凍ってできる「氷瀑」という氷柱のようなものが有名です。この氷瀑と骨格標本を組み合わせて作品をつくっていきました。具体的には、3Dプリンタで馬の骨格標本を再現して、そこに水を吹きかけて氷をまとわせ、アニメーションで走っているように見えるようにしました。

「ストップモーション・アニメーション」▼という手法なのですが、ポーズが少しずつ違う馬を十二体つくって、雪原をバックに撮影したものを並べて動かします。これは写真家のエドワード・マイブリッジ▼の《ギャロップする馬》へのオマージュでもあります。マイブリッジは馬が走っているところを連続写真でおさめる技術をつくり出して、それによって馬がどういうふうに走っているかが明らかになったんですね。当時、馬が走っているとき四本の脚は交互に地面に触れるのか、あるいは同時に地面から離れるかという論争があり、マイブリッジの写真によって、地面から同時に離れることが明らかになりました。スローモーション技術などが発達したいまでこそ当たり前に思えるかもしれませんが、連続写真は当時画期的な技術だったんです。馬の動きをつくるときには、マイブリッジの写真を参考にしました。

ひとと馬がともに生きていた時代の感覚を想像しながらつくった作品です。

▼ストップモーション・アニメーション
静止している物体を少しずつ動かして、一コマずつ撮影する手法。トリック撮影を用いた映画などにも用いられた。一九〇〇年代ごろに発明されたとされ、ロシア出身のラディスラフ・スタレヴィッチなどがこの技法の祖といわれている。

▼エドワード・マイブリッジ
写真家。一八三〇年にイギリスで生まれ、五一年に渡米。サンフランシスコの街並みやヨセミテ渓谷の写真で世に知られるようになった。七二年にリーランド・スタンフォードとその友人が「走っている馬の足は四本同時に地面を離れるか」という論争に決着をつけるべく、マイブリッジに撮影を依頼したことをきっかけに、連続写真の研究に従事した。八〇年には、写真を連続投影できるズージャイロスコープを開発。

「作者はだれか？」

最後に紹介するのは《彫刻のつくりかた》という作品です。

五つの動物園に協力してもらい、木をビーバーの飼育場に立てて置いておきます。ビーバーは歯が伸びてくると樹木をかじって、歯を削るという習性があります。その習性を利用して、この木の棒をビーバーに齧ってもらうと、まるで彫刻作品のようなものができあがるのです。

形もいろいろで、くびれていてトルソーのようなもの、鳥みたいなもの、キノコみたいなものなど。ブランクーシ▼や円空▼がつくる彫刻作品に似ているようにも思えてきます。すごく面白い形に齧ってくれています。

ビーバーが意図せずつくり出したものがまるで彫刻作品のように見えるのが面白くて集めていき、この作品が生まれました。

でも、この作品はそれだけでは終わりませんでした。こうしてビーバーが齧った木を集めて眺めると、すべて少しねじれが入っていました。それで、「この形はビーバーがつくり出したものなのかな？」と疑問に思ったんです。

このねじれは螺旋のようになっています（**図4**）。木にはやわらかい部分と硬い部分があって、硬い節の部分が出っ張って段々になっている。植物の教科書にも書いてありますが、植物の枝のつき方は規則的な黄金比になっているものもあるのです。節の配置も同様に規則的で、それが形を決める要素なのではな

▼コンスタンティン・ブランクーシ
彫刻家。一八七六年、ルーマニア生まれ。クラヨーヴァとブカレストの美術学校で学んだのち渡仏。オーギュスト・ロダンの助手に任命されるが、アトリエを去って独自の創作を展開した。純粋なフォルムの追究やアフリカ彫刻などの非西洋圏の芸術に影響を受けた造形を特徴とする。

▼円空
江戸時代初期の僧。一六三二年に美濃国に生まれる。生涯で十二万体の仏像をつくることを発願したといわれており、諸国を行脚しながら仏像を制作。現在も五千体以上が現存している。木の素材感を残し、表情が豊かな仏像は「円空仏」と呼ばれ、独自の特徴をもっている。

いかと推測しました。つまり、この彫刻の形は、ビーバーと木のインタラクションによって生まれていると考えることができそうです。そう考えると、この彫刻の作者は誰なんだろうという疑問が呼び起こされます。

さらに「作者は誰なのか」という問いを発展させて、今度はひとと機械によって、ビーバーが齧った彫刻のレプリカをつくってもらいました。こちらは、ひとにビーバーの齧った木を模刻してもらったものです（図5）。ほとんど同じ形のものができるんですけど、やっぱり少し違います。ひとの意思のようなもの、戸惑いなどが見えたりしませんか。そこに、ビーバーとひとの作者性が表れているんじゃないかと思います。

一方、こちらは機械で彫ったものです（図6）。ビーバーが齧った木を３Dスキャンして、データをつくり、そのデータをもとにＣＮＣ切削機▼という機械で彫っていきます。彫る前に、この形にする最適ルートを割り出し、そのシミュレーションどおりに彫っていきます。その点、ビーバーやひととは、つくり方が全然違いますね。ビーバーのように利那的に齧っているわけではないし、はじめからどのような形にするか決まっている。均一に、すべての箇所が同じ精度で彫られている。できたものの表面を見てみると、丸みを帯びていてきれいなのだけど、作者の思いみたいなものは不思議と伝わってきません。もう彫刻と呼べるのかどうかわからなくなります。

▼**図4**
作品《彫刻のつくりかた》に見られる螺旋構造

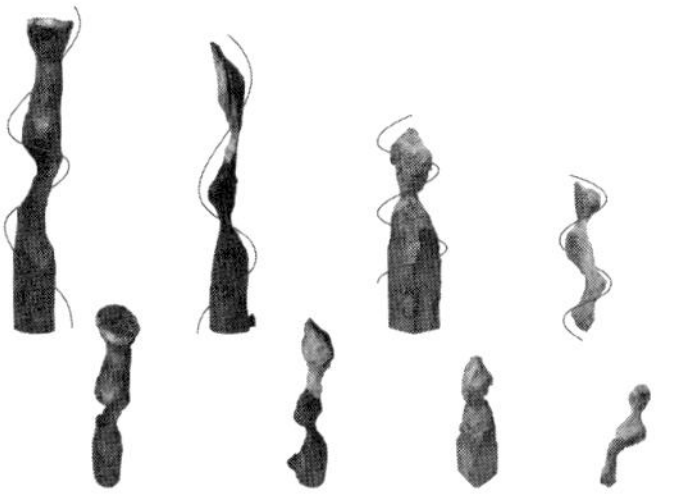

▼**ＣＮＣ切削機**
ＣＮＣはComputerized Numerical Controlの略称で、コンピューターを使って工作機械を数値制御すること。移動方向や速度など機械の動きをプログラミングによって自動化し、エンドミル（切削工具）で樹脂・木材・金属などを削り出すことで加工を行える機械。

人間中心主義から離れて

この作品には、後日談があります。ある日、木に知らない穴が開いているのを見つけたのです。どうやらなかにカミキリムシが棲んでいることがわかりました。

この虫がどんなふうになかを削っているかを、CTスキャンを使って解析してみました。こうしてスキャンしたデータをもとに、カミキリムシの視点でなかをくぐっているCG映像をつくりました。

こうして見ると、木のなかに洞窟というか、小宇宙ができていると思えないでしょうか。ビーバー、人間、機械は外からアプローチしてものをつくるけど、虫たちはなかを彫っていく。外からの彫刻を「陽」とすると、内からのアプローチは「陰」の彫刻と呼べるかもと思いました。

カミキリムシという予期せぬ作者が現れて、作者とか作品といった概念がどんどん揺さぶられてゆきました。ビーバーが齧った木から出発して、ビーバーと木、人間、そしてカミキリムシというさまざまな作者があやとりをするように、相互に関係をもって彫刻を生み出した。作品と呼んでいいのかすらわからない、何と呼べばよいかわからない「何か」が生まれている。人間中心主義の視点では気づかない関係性が立ち現れてくるのです。

人間中心主義では、自然環境を利用する近代文明の在り方が積極的に肯定

▼**図5**
人間（彫刻家）によってつくられたビーバーが齧った彫刻の模刻

Photo:Hayato Wakabayashi

▼**図6**
機械によってつくられたビーバーが齧った彫刻のレプリカ

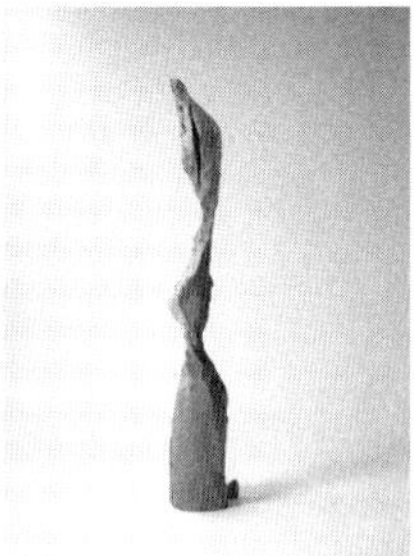

Photo:Hayato Wakabayashi

されてきましたが、現代になってその限界が露わになってきていると思います。人間の活動が地球環境に重大な影響を与えていることについては、「人新世」といったキーワードでも警鐘がならされています。わたしは芸術のフィールドで、自然環境や人間以外の他種の生きものたちへと目を向けたプロジェクトを行うことで、人間を中心に据えた視点を脱却することを目指していきたいと思っています。

Q&A

——ぼくは音に生命を感じることがあります。たとえば、心臓の音のリズムを聴くと安心したりとか。先生の作品で、音を使っているものはありますか?

わたしはビジュアル・アーティストなので、視覚でコミュニケーションする作品がメインです。ですが、視覚のみではなく、味覚や聴覚によって鑑賞する作品にも挑戦してきました。

ひとつだけ紹介すると、《Lines—貝の成長線を聴く》という作品があります(**図7**)。二匹のアサリの貝殻に入った成長線の情報をそれぞれレコードに変換して、音として聴くというものです。東日本大震災後の二〇一一年七月に福島県相馬市松川浦で採取されたアサリと、二〇一五年七月に同じ場所でわたしが採取したアサリの成長線を解析しています。アサリの成長線は、潮の満ち引きによってできます。満ちているときに成長し、引いたときに成長が止まって線

▼**図7**
作品《Lines——貝の成長線を聴く》

が一本できる。だいたい一日一本できるのですが、これを数えていくと何月何日にどのくらい成長したかがわかるんです（図8）。

この線の間隔をレコードの溝にし、心臓音を当てはめて鳴らしています。この線が密集しているところが東日本大震災のときです。津波によってアサリがダメージを受け、二週間くらい成長が止まっています。成長が止まっているところは無音になっています。でも、その後は通常の倍速ぐらいのスピードで大きくなっています。

震災ではたくさんのひとが亡くなって、人間にとってはとても痛ましいものだったのですが、こうしてアサリに注目すると、少し違った側面が見えてきます。津波により、個体数が減った結果、残った個体は豊富な栄養分を得られたようで、震災後には通常より速いスピードで大きく成長していたのです。一方で二〇一五年のアサリのほうは、長い護岸工事の影響で成長が悪かったことがわかりました。人間とアサリでは異なる環世界を生きていることを、音を通して感じられたらと思って発表しました。

▼図8
アサリの成長線の拡大図

わたしの思い出の授業、思い出の先生

授業ではないのですが、学生時代に受けた学びの鮮烈さはいまでも残っています。そのひとつは、唐十郎さんの演劇でした。大学生のころ、唐さんのゼミから出発した唐ゼミという演劇集団に参加していた時期があるのですが、彼の作品を見て衝撃を受けました。唐さんの舞台はテント公演がメインなのですが、クライマックスで劇団員が書き割りという舞台背景を取り払います。すると、テントが屋外へと開け、役者たちが舞台上から屋外へと歩いていったりします。この演出手法は「借景」と呼ばれるのですが、芝居のなかはあくまでも虚構《フィクション》。それが、路地裏だったり、新宿の街並みなどの生の現実と一瞬で接続されてしまうのです。初めて「借景」を見たとき、心のなかに風が吹くような想いをしたのを鮮明に覚えています。わたしの作品においても、この「借景」という手法には大きな影響を受けています。

この舞台と同じように、学びとは教室の内と外の境目にあるのかもしれません。

わたしの仕事をもっと知るための3冊

AKI INOMATA『AKI INOMATA: Significant Otherness 生きものと私が出会うとき』（美術出版社）
『高校美術』（日本文教出版）
山本浩貴『ポスト人新世の芸術』（美術出版社）

科学技術を哲学しよう

神里達博

かみさと・たつひろ＝科学史家。千葉大学大学院国際学術研究院教授。東京大学工学部卒業後、科学技術庁を経て東京大学大学院総合文化研究科にて博士課程単位取得退学。三菱化学生命科学研究所、東京大学、大阪大学などに勤務した後、現職。著書に『リスクの正体　不安の時代を生き抜くために』『文明探偵の冒険　今は時代の節目なのか』『没落する文明』（共著）など。

今日のテーマは「科学技術を哲学しよう」です。ここでいう「哲学」は、「普段よりも少し深く考える」という意味で捉えてください。「物事の前提を考える」と言い換えることもできるでしょう。科学と技術、そして社会の関係について、じっくり考えていきたいと思います。

「科学とは何か」

科学について漠然としたイメージは持っていても、いざ「科学の定義」を問われると、なかなか答えるのが難しいものです。ひとまず「わたしたちの住む世界について理解し、説明し、予言する試み」が科学である、と定義してみましょう。たとえば、ある重さのボールをある角度や強さで投げたらどのくらいの速さでどこに飛んでいくかは、計算をして割り出すことができます。世界についてすでにわかっていることから、まだ起こっていないことを予言しているといえますよね。

ですが、考えてみると宗教や占いも同じ性質を持っています。また歴史学にも、世界について理解し説明し、これまでの出来事をふまえて未来を予測するという側面もあります。科学について説明するのに、この定義では不十分なようですね。

では、先ほどの定義に「特定の手続きに基づき」という文言を加えてみましょう。特定の手続きとは､要するに「実験」のことです。科学には実験がつきものですから、いけそうな気がしますよね。

しかし、天体を研究対象とする天文学では、直接的な実験が不可能な場合も多いのです。かわりに、天文学者は観測してデータを取り、そこから物事を考えます。ですから「実験をしない学問は科学ではない」とすると、天文学者は科学者ではないということになりかねない。また社会学、経済学、政治学などを指す社会科学も「科学」には違いありませんが、これらに関する実験もかなり難しいため、研究者はしばしば観察で得られたデータを使って分析します。もう一つ大切な条件として、実験や観察をする前には、必ず仮説があります。理論的な仮説に基づいて実験して、はじめて科学として意味のある成果が出てくるのです。

以上をまとめると、科学とは､「理論に基づいた実験や観察によって世界を理解し、説明し、予測する活動」であると、とりあえずはいえそうです。

この「科学とは何か」という問いを研究しているひとたちのことを「科学哲学者」と呼びます。意外に思われるかもしれませんが、科学哲学者のあいだでも、科学の正体について完全に一致した見解があるわけではありません。わたしたちはあたりまえに「科学」という言葉を使い、科学に依存して、科学を利用して暮らしていますが、じつは科学の正体はまだ研究の途上なのです。

科学とキリスト教

ところで、みなさんは「科学」のはじまりをご存じでしょうか。古代ローマ滅亡後、ギリシア・ローマ時代に花開いた自然科学的な知識のほとんどはアラビアなどのイスラーム世界に持ち込まれて発展していきました。その後、十字軍▼の活動とそれに続く十二世紀ルネサンス▼などを経てヨーロッパの人がアラビアと接触し、自らの先祖の成果について知ることになります。これは「ギリシアの再発見」と呼ばれ、アラビアから持ち帰った本をラテン語に翻訳する活動は、大学の起源となりました。こうしてヨーロッパが再び力をつけていくなかで、十六世紀半ばから十七世紀にかけて「科学革命」が起こったのです。

では、なぜ近代科学は先に発展を遂げたアラビア、あるいは中国やインドではなく、ヨーロッパで生まれたのか。そこには宗教が深く関わっています。ガリレオ▼、デカルト▼、ケプラー▼、みんな敬虔なキリスト教徒でした。彼らは、神がこの世界をつくったと信じ、その偉大さの表れとして、自然の法則が精緻かつ完璧なのだと考え、そのことを証明するために科学の研究をしていました。ヨーロッパで科学が発

▼**十字軍**
十一世紀末から二百年のあいだ（一説には）七回にわたって繰り広げられた、キリスト教徒によるイスラーム教圏に対する軍事活動。初めは聖地奪還を目指して派遣されたが、次第に商業的な目的が強くなっていった。この進軍により、イスラーム世界の文化の数々がキリスト教圏に持ち込まれた。

▼**十二世紀ルネサンス**
前述の十字軍を契機に西ヨーロッパのキリスト教徒がイスラーム世界と接触し、文化や学問が持ち込まれたことにより、それまでのキリスト教的な中世文化が大きく変化・発展した。スコラ哲学の隆盛、書物のラテン語への翻訳、大学の出現、騎士道物語の流行などがもたらされ、十四世紀以降のルネサンスに先立つ動きとして「十二世紀ルネサンス」と呼ばれる。

展したのは、じつは宗教的な動機によるものだったのです。

ここでポイントとなるのは、「神は唯一の存在」ということ。一神教という言葉を聞いたことがありますか。ユダヤ教、キリスト教、イスラームは、いずれも唯一の、そして同じ神を信じています。

したがって、一神教を信じるひとたちは、「世界は一つのルールでできている」ということが、ものごとの考え方の基本に染みこんでいるといえるでしょう。世界は一つの神によってコントロールされ、マネジメントされ、設計されていると見ている。この世界観が、科学そのものの性質に大きな影響を与えたのです。実際、科学は「普遍的な世界の法則を明らかにする」ものですよね。世界どこでも、地球の裏側でも、同じ物を落としたら同じ速度で地面に落ちます。ルールが場所によって変わったりしないのです。八百万の神がいて、それぞれの場所にそれぞれの「掟」があった、伝統的な日本の考え方などとは、かなり異なるものですね。

つまり、科学は「世界は一つのシステムなのだ」という一神教的な確信から生まれたのです。その意味で、キリスト教と科学は、材質は違うけれど形を同じくする、石膏の型と青銅の像のような関係といえます。

▼ガリレオ・ガリレイ
イタリアの物理学者、天文学者。一五六四年生まれ。望遠鏡を用いて天体を観測し、コペルニクスの地動説を裏付ける観測結果を得た。天動説の立場を取るカトリック教会によって宗教裁判にかけられ、異端とされたエピソードは有名である。だが彼は生涯、熱心なキリスト教信者であり、近年の歴史的解釈では、この事件を単なる「科学と宗教の対立」として捉えるのは不適切だとされている。一六四二年歿。

「技術とは何か」

次に、「技術」について考えてみましょう。技術は「要素の組み合わせによって目的を達成すること」です。この「要素」とは「道具」「知識」「テクニック」の三つです。たとえば「火を付ける」という行為の場合、「道具」は火打ち石、「知識」は「乾いた木はよく燃える」という法則、それから「テクニック」は火打ち石の使い方、となります。

技術は人間にとって普遍的なもので、洋の東西を問わず、どんな文明も古代からそれぞれに技術を生み出し、発展させてきました。帆船、水車、機械式時計、これらはみな、近代科学とは直接の関係はない、技術の結晶です。科学の生まれるずっと前から、職人たちによって技術は継承されてきました。自分の師匠から技術を学び、自分の弟子にまた技術を教える、その過程で少しずつ技術は改良され、発展していったのです。

初めて科学と技術の融合を構想したのは、フランシス・ベーコン▼でした。十七世紀はじめごろにイギリスで力を持っていた政治家なのですが、「科学の力で技術を発展させると素晴らしいのでは」ということを思いつき、SF小説『ニュー・アトランティス』を執筆します。作中には「ソロモンの家」という「研究所」が登場し、世界中の知識や技術を集めて生活を豊かにするためのさまざまな研究活動が描かれています。

「知は力なり」とベーコンはいいました。まだ科学のない、もちろん「SF小説」という概念もない時代に、ベーコンは時代を何百年も先取りした小説を書いたのです。

▼**ルネ・デカルト**
フランス出身、オランダで活動した哲学者。一五九六年生まれ。『方法序説』を執筆した。理性を使って、少しでも疑わしいものは偽りであるとして退けていったとしても、少なくとも「そのように自分が思考していること」は疑いようがない。従って「考えているわたし」は存在しているということに思い至り、「我おもう、ゆえに我あり」という至言を残す。一六五〇年歿。

▼**ヨハネス・ケプラー**
神聖ローマ帝国（現在のドイツ、バーデン＝ヴュルテンベルク州）出身の天文学者。一五七一年生まれ。地動説を唱えていたティコ・ブラーエをたずねてプラハで研究をし、ティコののこした膨大な観測データから、惑星の軌道や公転のスピードについての「ケプラーの三法則」を発表した。一六三〇年歿。

技術についての哲学

ここまで、技術がどうやって生まれたか、科学と技術がどう結びついたのか、というお話をしてきました。それでは、現代のわたしたちは科学技術とどう付き合っていけばいいのか、社会と技術の関係は今後どうなるのでしょうか。

よく、「技術は価値中立的である」といういい方がなされます。技術はニュートラルなもので、技術によって何をするかは技術そのものには関係がないという考え方です。たとえば、全米ライフル協会は、アメリカで銃乱射事件が起こると「銃が悪いのではなく、銃を犯罪に使うのが悪いのだ」という趣旨のコメントを出します。「技術ではなく、それを使う人間に責任がある」という考え方です。

一方で、技術は自律的である、という考え方もあります。折しも、ChatGPT▼の出現でこれからの社会はどうなるのかという議論がなされていますが、これは「技術の出現によって社会が変わる」という方向の議論です。

確かに、新しい技術が出てくると社会は変わりますね。スマートフォンが出てきてからの十年間でも、社会は大きく変貌しました。ですが、技術の価値中立論をとると、技術に責任はないということになってしまいます。このような問題を考えてきた、「技術についての哲学」という分野があります。

まず、哲学一般には大きく二つの伝統があります。一つは「理論哲学」で、「存

▼フランシス・ベーコン
イギリスの政治家、科学者。一五六一年生まれ。スチュアート朝のジェームズ一世に重用され、大法官や下院議長をつとめるいっぽう、科学や哲学にも強い関心を抱き、『学問の発達』(一六〇五)、『新機関』(一六二〇)など数々の著作を発表した。一六二六年歿。

▼四四頁注参照

在とは何か」「認識とは何か」「論理の限界はどこか」など、物事の前提そのものについて深く考えるものです。みなさんが「哲学者」と聞いたときにイメージするのもこちらかもしれません。しかし技術はこの「理論哲学」の対象にはなってきませんでした。技術が、単なる理論の応用であるとみなされ、前提を深く考える必要はないと思われていたからです。

もう一つの哲学は「実践哲学」で、狭い意味では「倫理学」のことです。何が正しく何が間違いなのかについて研究をする分野です。道徳や倫理を扱うわけですね。この実践哲学でも、価値や目的、善悪の判断はすべて人間が下すもので、技術は目的達成の手段に過ぎないと考えられてきました。理論と実践、どちらの文脈においても、技術は長いこと軽視されていたということになります。

十八〜十九世紀に現代的な学問としての「歴史学」が成立し、二十世紀に入ってからは技術史の研究も始まります。その結果、技術が科学とは基本的に関係なく発展してきたことがわかり、これまで技術を軽視してきた哲学者たちが、「技術のこともきちんと考えないと、わたしたちは世界のことをきちんと考えたことにならないのではないか」と思い始めます。このことを最初にいい始めたのが、マルティン・ハイデッガーという哲学者です。ハイデッガーは、「現代における文明や文化の全ては技術の支配下にある」といいました。社会は全て技術によって作られているということです。これまでの哲学に対するアンチテーゼにもなるようなこの考え方を、「技術決定論」といいます。さきほどの全米ライフル協会とは正反対の考え方ですね。

また、「科学技術」という言葉からイメージされやすい産業革命はあくまで「産業」における革命で、当時の人びとの生活が大きな恩恵を受けたわけではなかったことにも着目しましょう。市井の人びとに、最初に本格的な近代化の波がやってきたのは、産業革命そのものが起こった十九世紀イギリスではなく、二十世紀アメリカにおいてだったのです。

▼エジソンが設立したジェネラル・エレクトリック社が一九二五年に出したポスターでは、母親に対してこれまで家事に割いていた時間を、子育てのために使うことを勧めています。「かわりに一時間三セントで電気洗濯機が仕事をします」というわけです。現代を生きるわたしたちから見れば、これはジェンダー的な問題を含んでいるわけですが、ともかく百年前の時点でライフスタイルの改革を提案していたわけです。いまでこそ、このような広告は世の中に溢れていますが、当時ではものすごく先進的でした。電力会社を作ったエジソンが、電気で動く家電を作り、新しいライフスタイルを提案しているのです。

技術と社会の関係

技術は単なる手段ではなく「技術には目的も含まれているのではないか」というのが、技術と社会の関係を考えている研究者の見方です。たとえば、郊外にある大

▼**マルティン・ハイデッガー**
ドイツの哲学者。一八八九年生まれ。形而上学の一種である存在論を展開し、著作『存在と時間』で知られる。芸術作品や技術についても存在論の語彙を使って論じた。第二次大戦中にナチスを支持したことから、戦後、一時大学から追放された。一九七六年歿。

▼**トマス・エジソン**
アメリカの発明家、起業家。一八四七年生まれ。電球、蓄音機、活動写真に代表される数々の画期的発明をし、財閥J・P・モルガンから出資を受けてジェネラル・エレクトリック社を設立した。同社は現在も電機、エネルギー、金融などの事業を展開する巨大複合企業として存続している。一九三一年歿。

型スーパーやショッピングモール。だいたいは車がないと不便なところにあります。「郊外の大型スーパーへ買い物に行く」という行為は、じつは「自動車」の存在が前提になっています。また、「電子メール」が出てくる以前は、「メールを送る」という行為自体が存在しなかったわけです。

つまり、技術自体が新しい行為を作り出し、目的自体が技術に誘発されているのです。既存の目的に新たな手段が加わったのではなく、技術自体が新たな目的を含んでおり、手段と目的には連関があるのではないか、という考え方ができます。この考え方に基づくと、全米ライフル協会の言い分は道理がとおらないことになりますね。有り体にいうと、「銃があるから銃犯罪が起こる」という側面も否定できなくなり、「銃にはまったく責任がない」とはいえなくなります。

さらに、技術とはシステムである、ともいえます。たとえば、電話はそれ自体だけでは役に立たず、大規模な通信ネットワークが必要です。自動車も、道路があり、ガソリンがあり、さらに燃料製造・供給システムの全てが揃って、初めて役に立ちます。

とすると、わたしたちはそのような「技術システム」を選択することは不可能です。もし自動車はいらない、というひとがいたとしても、自動車のために存在する舗装道路の敷設や燃料の生産そのものをキャンセルすることはできません。個々の自動車を使うか使わないかは個人の自由ですが、システムとしての「自動車のある文明」を選ぶかどうかに個人の選択の余地はありません。わたしたちが暮らす世界は、もはや技術とは不可分なのです。では、もはやわたしたちには技術をコントロールする術はないのでしょうか。これについても、いろいろな議論があります。

じつは現在でも、技術をコントロールして暮らしている人びとがいます。アメリカのペンシルベニア州などを中心に、約三十五万人がいるとされる、アーミッシュ▼です。

彼らは宗教的信念から、あえて十九世紀までの技術だけを使って生活しています。移動には馬車を用いて、エンジンやモーターは使わず、アーリーアメリカンの服装で暮らしています。いちどコミュニティーのなかで農業にトラクターを導入するかどうかという議論が起こりました。しかしトラクターを入れて生産量が増えると生活レベルを上げることに対する欲望が生まれ、やがて伝統生活が壊れてしまうのではないか、という方向に意見がまとまり、結局トラクターの導入は為されなかったのです。このように、現代においても、共同体を守るために技術に制限をかけることは不可能ではありません。

▼**アーミッシュ**
アメリカ、カナダに在住するキリスト教プロテスタントの一派で宗教共同体。スイス・ドイツ系移民を祖とする。聖書以外の読書や高等教育の禁止、電気の不使用、農耕や牧畜での自給自足生活など、移民当時の伝統生活様式と信仰を守るための厳格な規律がある。

ここまで「社会が技術を決めるのか、それとも技術が社会を決めるのか」という大きな問いについて、順を追って考えてきました。

わたし自身は、技術と社会を分けることはできないと考えています。技術なしの社会も、社会なしの技術も存在し得ません。これは、「こころ」と「からだ」の関係に似ているのではないでしょうか。体調が悪いと元気がなくなるし、楽しい気分でいると体の調子も良くなったりします。どちらがどちらを支配しているとは言いがたく、「わたし」というものを「こころ」の観点から見るか「からだ」の観点から見るかの違いで、実態は同じひとつなのです。技術と社会、そして人間も同じようなもので、これらはこれからも一緒に進化していきますし、それならば、誰もがより良い社会をつくるために技術について考え続けるべきでしょう。

Q&A

――「ＡＩが人間を超える」という表現の定義は何でしょうか。どうなったら、「ＡＩは人間を超えた」といえるのでしょうか。

電卓やコンピュータ、また自動車など、個々の作業や分野でみればとっくに科学技術は人間を超えているといえます。ですが、技術と社会は相互作用によって発展していくのに、ＡＩと人間を分け、対立構造をつくることに意味はあるのでしょうか。「技術対わたし」という構造自体がまやかしなのではないか、というのがわたしの考えです。

また、人間の脳は電気信号によって動いているので、本質的にはロボットと同じです。ですから、将来的に人間とＡＩの区別がつかなくなる可能性はあるでしょう。

わたしは、動物と人間の関係の変化と同じように考えればよいのではないかと思います。かつて動物は残虐に扱われていましたが、いまとなってはペットは家族ですね。動物と人間の関係が歴史のなかで変化していったように、ロボットと人間の付き合い方も変化していくのではないでしょうか。

わたしの思い出の授業、思い出の先生

Q1：思い出の授業を教えてください

高校二年生のとき、英語担当の福士先生という方が、「勉強すると、頭が良くなるんだ。それは知識が増えるとか、成績が上がるとか、そういうことではない。考える力自体が高まる。だから勉強しなさい。」と仰ったこと。

Q2：その授業が記憶に残っている理由はなんですか?

当時の自分は、ひとは生まれつきで決まっている条件が多いと思っていたので、意外だったからでしょう。

Q3：その授業は人生を変えましたか?

何事も、できるだけ自力で考え抜こうと思うようになりました。そして、錯覚かもしれませんが、実際に自分の思考力が高まったように感じたこともあります。いまは、さらにそこから発展して、ひとは精神的には、いくつになっても成長できると信じられるようになりました。わたしは若いころ、一度官庁に勤めてから大学院に入り直し、研究の道に進みましたが、そういう決断ができたのもこの考え方のおかげかもしれません。

わたしの仕事をもっと知るための3冊

神里達博『食品リスク－BSEとモダニティ』（弘文堂）

神里達博『文明探偵の冒険　今は時代の節目なのか』（講談社現代新書）

村田純一『技術の哲学　古代ギリシャから現代まで』（講談社学術文庫）

時間とはなんだろう？
ものの動きからみえること

松浦壮

今日は「時間」について考えてみましょう。みなさんは、どういうときに時間が経過したと認識しますか？

まず時計を見ますね。あるいは誰かが話している、ひとが前を通ったなど何かが動いているときなどが挙げられると思います。ぼくたちは時間が経ったから物が動いたと思いがちですが、じつは逆で、物が動くから時間の経過を認識できるのです。ここで、時間は動きによって観測されるものだという仮説が成り立ちました。この動きに注目して、さらに時間の正体に迫っていきましょう。

絶対時間とニュートンの大成功

時計は周期的な物の動きによって時間の経過を測るものです。日時計や砂時計は、太陽や砂の周期的な動きを利用した時計ですね。その性質上、日時計は太陽に、砂時計は砂に依っているわけですが、どの時計を使っても測る時間に

まつうら・そう＝物理学者。一九七四年生まれ。京都大学大学院で理学博士号取得後、素粒子物理学者として日本、デンマーク、ポーランドの研究機関を渡り歩き、慶應義塾大学商学部勤務を経て、現在慶應義塾大学教授。著書に『時間とはなんだろう　最新物理学で探る「時」の正体』、『宇宙を動かす力は何か　日常から観る物理の話』、『量子とはなんだろう　宇宙を支配する究極のしくみ』など。

は変化がありません。つまり時間の経過を測るために重要なことは周期的な動きであり、物体が何であるかは関係がないのです。

どんな時計を使っても問題なく時間を測れるなら、ある特定の時計ひとつに決めても構わないわけです。たとえば、ある時計の時刻表示を t としましょう。この時計をアンドロメダ星人にプレゼントします。この時刻は誰がどこで測っても問題ないわけだから、時刻 t は宇宙全体で共通に使うことができるはずです。

ここでこの時計を使って、各時刻でのある物体の位置を記録していくと、その物体の軌跡を描くことができます。ストロボ写真を想像してもらうとわかりやすいでしょう。一秒経つと一メートル、二秒経つと三・五メートルと各時刻に各位置を記録していく。このように一つの数が決まったときに対応する数がある、この数と数との関係を数学では「関数」といいます。物体の位置（軌跡）は時間の滑らかな関数 $(x(t))$ として書くことができます（**図1**）。

同じ物体の動きを同じ時刻に記録しているため、この軌跡は誰がどこで記録しても同じ形になるはずですね。そのため、時間 t は宇宙全体を一様に滑らかに流れていて、すべての運動がこの時間 t に支配されているといえます。この宇宙全体を一様に流れる時間を「絶対時間」といいます。

この絶対時間をもとにしたのが、ニュートン▼による運動の法則です。ニュートンは物体に力が働くことと物体が加速することは同等であることを発見しま

▼図1

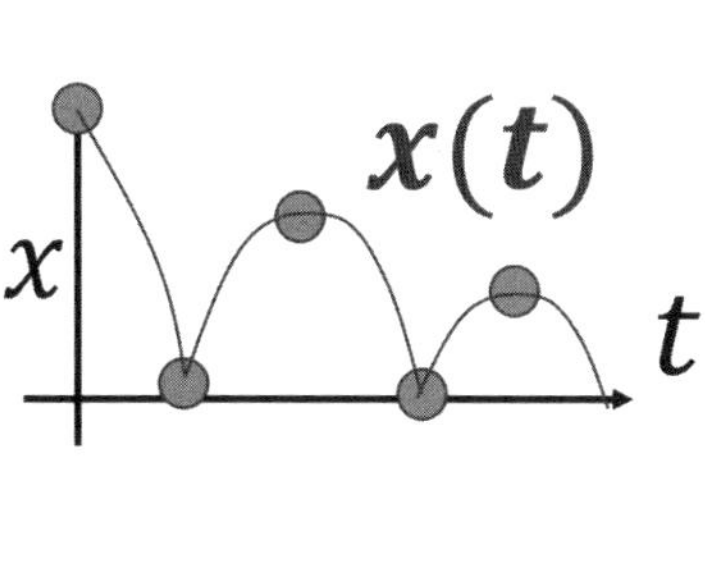

▼アイザック・ニュートン
イギリスの物理学者。一六四三年生まれ。物体の運動の三法則や、あらゆる物体にはたらく力として万有引力の考え方などを提唱。一七二七年歿。

した。この運動法則は力をF、質量をm、加速度をaとし、$F=ma$という有名な方程式で表すことができます。

速度は、一秒間にどれだけ動くかということです。また、加速度は、速度がどれだけ速くなるかの割合です。ということは、加速度aは時刻tに依っているといえます。さきほどの運動方程式を時刻tを使って表すと次のようになります。

$$F = ma = m\frac{d^2x(t)}{dt^2}$$

ニュートンが見出した運動法則は大成功をおさめました。それによって、あらゆる運動を予測することができたのです。この運動法則が成り立つことから類推して、宇宙には絶対時間が流れていると考えられたわけです。

時間はどうして前に進むのか

ぼくたちは経験的に時間が巻き戻せないものだと知っています。自然に考えると、運動法則が前にしか進まないからだと考えられますが、じつは、あらゆる運動法則は時間の反転に左右されません。試しに、先程の運動方程式の時間tをマイナスにしてみましょう。

$$F = ma = m\frac{d^2x(t)}{d(-t)^2} = m\frac{d^2x(t)}{dt^2}$$

時間を反転させても同じ方程式になります。時間を反転させた運動は運動法則において禁止されていないのです。時間の方向を生み出しているのは運動の法則そのものではないということになります。では時間の方向性を決めているものは何か、ここでヒントになるのが「可能性の数」と「カオス」です。

細かく区切った碁盤目の上に四つの荷物を置いたとしましょう。それぞれの荷物を上下左右に一マスずつランダムに動かすことを繰り返します。さて、四つの荷物が再び集まることはあるでしょうか？　適当なマス目を用意して試しに計算してみたところ、四つの荷物が集まる場合の数が三六一通りあるのに対して、荷物がバラバラになる場合の数は一兆五〇七三万九九〇〇通りもありました。荷物が再び集まる確率は〇・〇〇〇〇〇〇〇〇三四、結論としてほとんどありえないといえます。

今度は荷物を空気に変えて考えてみましょう。ある部屋の空気の分子が、もしもひと隅に集中してしまったとしたら……とてもおそろしいですね。しかし、空気の分子が一ヵ所に集中する可能性はさきほどの荷物とは比べ物にならないくらい、ごくわずかです。一ヵ所に集まっている空気の分子がバラバラになることはあっても、バラバラになっている空気の分子が一ヵ所に集まるのはありえそうにありません。一安心です。

ところで、荷物のたとえと、空気といった物体の運動には決定的な違いがひとつあります。それは、荷物の動きは完全にランダムなのに対して、運動法則は物体の初期状態さえ決まっていれば完全に決まるという点です。ですが、じつは、複数の物体が関わる運動というのは、ほとんどの場合、その初期状態にわずかな違いがあると結果が大きく変わってしまうため、実質的にランダムで予測不可能な運動と区別がつきません。天気予報など身近な例でも見られる現象です。この初期状態のわずかな違いが、最終的に大きな違いを生むことを「カオス性」といいます。

つまり、ほとんどの物体は、カオス性により実質的にランダムに運動するため、拡散したものが勝手に集まるような現象が起こることは確率的にまずありえないのです。だから時間はものがバラバラになる方向にしか進まないように見える。言い換えると、時間は可能性の大きい方向に進むということです。

「光が教えてくれること」

いま話してきたことは絶対時間を大前提にしたものですが、二十世紀に入って、絶対時間は完全に否定されることになります。ここでポイントになるのが「光の速さ」です。

光の速さは誰がどこで測っても秒速約三〇万キロメートルであることが実験

▼図2

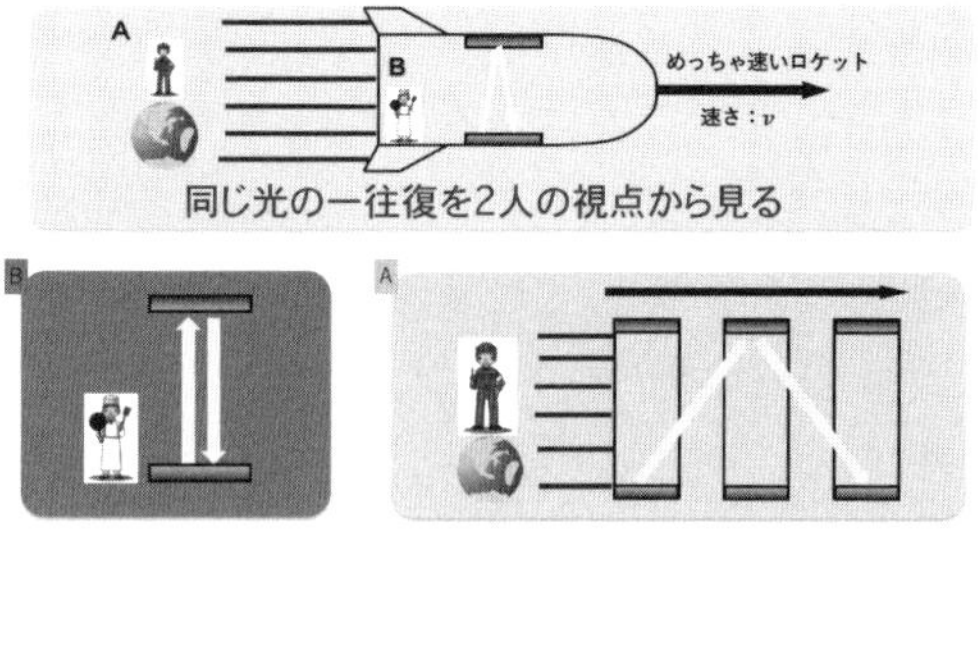

的に証明されています。ここで光時計を使って、地球上にいるAさんと超高速ロケットに乗っているBさんの時間を比較してみましょう（**図2**）。

Bさんが乗っている超高速ロケットには床と天井に大きな鏡がついていて、鏡の間を光が往復しています。この一往復を一秒としましょう。

二人が見る光時計の矢印を比較するとBさんの視点では上下に動く光の矢印が、Aさんの視点ではジグザグに動いています。つまりAさんから見ると矢印が長くなっているのです。

光の速さは変化しないため、矢印が延びたということは光が往復する時間がそのぶん長くなっているということです。つまり時間は誰がどこから見るかによって変わってしまう、絶対時間は存在しないというわけです。これがアインシュタイン▼の特殊相対性理論▼の基礎原理です。

光が一秒ごとに三〇万キロメートル進むということは、時間の長さを距離で測ることもできますよね。一秒進むということは時間方向に三〇万キロメートル移動するということです。この見方をするなら、ぼくたちは実際には静止状態にあっても、時間方向には進んでいます。つまり静止状態とは時間方向への運動だといえます。

Aさんから見ると、Aさん自身は空間的には静止状態で時間方向だけが進んでいる状態です。一方、ロケットに乗っているBさんは空間的にも時間方向へも移動しています（**図3**）。Aさんから見ると、Bさんの運動方向は空間方向と

▼アルベルト・アインシュタイン
ドイツ出身の理論物理学者。一八七九年生まれ。特殊・一般相対性理論を提唱したほか、ブラウン運動をはじめとしたさまざまな現象の解明に重要な業績を残し、「二十世紀最高の科学者」とも評される。光量子仮説に基づく光電効果の理論的解明によって一九二一年ノーベル物理学賞受賞。一九五五年歿。

▼特殊相対性理論
アインシュタインによって構成された、相対性原理と光速度不変の原理に基づく力学。ニュートン力学では扱えない、光速に近い速さで動く物体の運動を正しく取り扱うことができる。この理論によって、時間と空間の概念が大きく更新された。一九〇五年発表。

時間方向の混合ということです。一方、Bさんの視点から見ると、Bさんは自分自身が静止していると思っているので、空間的に動いているのはむしろAさんのほうで、Bさんの矢印こそが時間方向と主張するでしょう。この場合、どちらの時間方向が本当の時間方向でしょうか？

答えはどちらも正しいといえます。なぜなら、AさんとBさんに優劣はないからです。時間方向は動いているひとと止まっているひとで変化するのです。となると、時間方向と空間方向は原理的に分けて考えることができません。このように、光の速さが同じだとすると、時間について考えるとき必ず空間もあわせて考えなければいけなくなります。そこで、時間と空間をまとめて「時空」といいます。

「時間も空間も曲がっている」

時空に物体が加わるとさらに変化が起こります。ガリレオ▼の有名な発見に、すべての物体は同じ加速度で落ちるという「落下の法則」があります。質量にかかわらず同じということは、重いものほど強い力で地面に引っ張られているのだといえます。この引っ張る力が「重力」です。

重力は自由落下▼中には感じなくなるという特徴があります。たとえば遊園地で垂直に落下するアトラクションのフリーフォールに乗っているとき、落ちな

▼図3

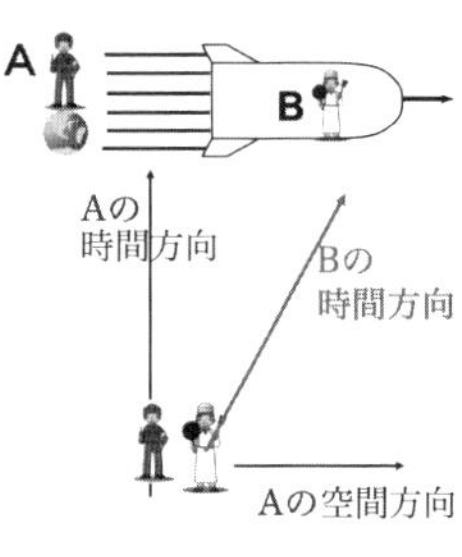

▼ガリレオ
一一一頁注参照

▼自由落下
物体が空気の摩擦や抵抗などの影響を受けずに、重力の働きだけによって落下する現象。

がら体がふわっと浮くような感覚が起きますよね。これは自由落下中で重力を感じなくなるからです。

別の例を挙げましょう。乗っている電車が動き出したときに「おっとっと」と体が後ろに引っ張られるような力が働いているように感じますよね。これは「慣性力」です。電車が加速しても電車のなかにいる自分は加速していないから引っ張られるような力を感じるわけですが、これは電車そのものの加速で起こることなので、電車のなかではすべてのものが同じように加速します。これを慣性力の作用と考えると、重いものほど加速しにくいので、重いものにはより強い慣性力が働いていると考えられます。一方、電車の外から見ているひとにとっては、電車のなかの物体は慣性の法則に従って静止しているだけなので、慣性力が働いているようには見えません。つまり慣性力は外から見ると消えるのです。重い物ほど強く働き、見るひとによって消える。重力とまったく同じです。このことから、アインシュタインは重力と慣性力は同じ力ではないかと考えました。これが一般相対性理論▼の出発点である「等価原理」です。

アインシュタインにならって、ぼくたちも重力と慣性力は同じ力だと仮定してみましょう。ここから先のお話のポイントは、静止状態とは慣性力が働いていない状態ということ、そして、静止状態とは時間だけが経過している状態だということです。

もし突然地球が消えて、地球のかわりにりんごが現れたとしたらどうなるで

▼**一般相対性理論**
慣性に対する質量と重力質量が同じであるとする「等価の原理」を出発点にして、加速度運動に対しても相対性が成立することを仮定した。重力理論としても重要視される。一九一五年発表。

しょう？　重力が消えて、りんごもぼくたちも宇宙空間に投げ出されてしまいますよね。重力＝慣性力と仮定するなら、慣性力がない状態というのは加速していない、つまり静止状態にあるということです。静止状態は時間方向への運動ですから、りんごとぼくたちは時間方向に進んでいて両者の時間方向は平行関係にあるといえます。

すると突然、りんごがまた地球になりました。重力が復活したことでぼくたちは地球の方向に引っ張られ、地球に向かって自由落下していきます。自由落下中は重力を感じない＝慣性力を感じない、つまり、自由落下運動こそが静止状態、すなわち、時間方向への運動です。地球がなくなったときは真っ直ぐに進んでいた時間方向の矢印が、地球が復活したとたんに歪んでしまったということです（**図4**）。この時間方向を歪めた原因は地球としか考えられません。重力は地球によって時空が歪められたために生じたということです。重力は「万有引力」とも呼ばれ、地球に限らず質量を持つ物体の間には必ずはたらきます。ということは、質量を持つ物体はすべて時空を歪める能力を持っていることになります。ぼくたちが感じている重力は、地球によって歪められた時間の経過そのものということです。

もしこの結論が正しいのなら、ただ地面に立っている状態は「自由落下」という時間の進行に逆らっている状態なので、時間の進みが遅くなるはずです。であるなら、重力が弱い高いところでは、時間はその分速く進むはずです。東

▼図4

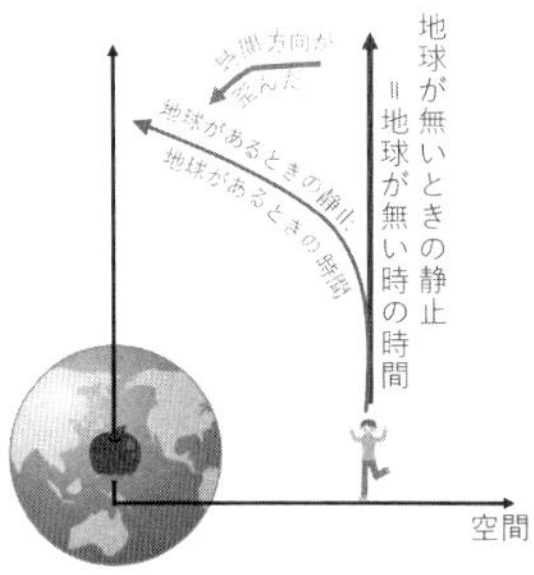

京大学の研究チームが光格子時計を使って東京スカイツリーの頂上と地上の時間を比較したところ、スカイツリーの頂上では地上よりも十億分の四秒速く時間が流れていたことがわかりました。

さらに、従来のニュートン重力理論では、光は質量を持たないために重力は作用しないと考えられていましたが、もしも重力の正体が時空の歪みなら、重力は質量の有無に関係なく作用するはずです。実際に観測してみると、光も天体の重力に影響され曲げられることがわかりました。これを重力レンズ効果▼といいます。

これらのことから「重力は慣性力と同じ力である」という仮説は科学的に正しく、ぼくたちが感じている重力は物質によって時空が歪められるために生じているといえるでしょう。

ここまで話しておきながらなんですが、じつは時間の正体はまだよくわかっていません。ただ、今日お話ししたなかにヒントはたくさんあります。

最近の研究では、時間の方向の源はどうやら量子力学に関係があるようだということもわかってきました。また、時空が物質から影響を受ける以上、時空と物質は本質的なところで関係し合っているはずと考えています。おそらくは量子重力理論の研究がさらに進むと、時間とはなんなのか、その答えが出てくるのではないかと思います。

▼重力レンズ効果
光が天体の重力によって曲げられ、天体があたかもレンズとして働く効果。

――ぼくは哲学に興味があります。量子力学などの理系の分野は哲学とつながっているようなところもあると思うのですが、先生はどう感じますか?

量子力学は哲学と密接に関係しているというより、その両者に区別はないと思います。実際に研究を続けていくと最終的には哲学のことを考えないと先に進めなくなることが多々ありました。何かを突きつめていくと文系や理系といった区別は関係なく、さまざまな学問に接続していくことになります。もしいま理系的な学問にも興味をお持ちなら、いつかこちらの道につながっていくこともあるかもしれませんね。

わたしの思い出の授業、思い出の先生

わたしが専門にしている物理や数学の授業ではありませんが、高校時代のイスラム史を中心に展開された世界史の授業は強く印象に残っています。

教科書の世界史は西洋史が中心で、それはそれで面白いのですが、「イスラム文化圏」という異なる地理的・文化的背景から見ると、同じ歴史上の出来事でもまったく見え方が変わることを実感できたのは非常に貴重な体験でした。また、「さて、教科書をしまってください」で始まり、自作のプリントで授業を展開する先生の自由さも印象的でした。

専門家というのは、単純にひとつの分野に詳しいひとという意味ではありません。深い知識を持っているのは当たり前で、その知識を我が事として十分に消化し、血肉として使いこなし、そこからしか生まれ得ない、固有の見解を以て世に臨むこと。これが専門知識を持つということです。いまから振り返ると、このことに気付いたきっかけはこの世界史の授業だったように思います。

わたしの仕事をもっと知るための3冊

松浦壮『宇宙を動かす力は何か　日常から観る物理の話』（新潮新書）
松浦壮『時間とはなんだろう　最新物理学で探る「時」の正体』（講談社ブルーバックス）
ブライアン・グリーン著、青木薫訳『宇宙を織りなすもの　時間と空間の正体　上・下』（草思社文庫）

第4章

言葉と生きる

言葉を使えるとはどういうことか

今井むつみ

わたしは心理学のなかでも認知科学、すなわちひとはどう考えるか、どう学ぶかというとても幅広い分野を研究しています。なかでも言語心理学を専門にしていて、それは言語は思考とどのように関係しているのか、言語を学んでゆくとき子どもの思考はどう変わってゆくのか、外国語と母語とでは学習のメカニズムがどう違うのか、そんなことを扱っています。みなさんが当たり前に使っている言語ですが、わたしたちは自分がそれを知っていると意識せずに、ものすごくたくさんの知識を用いながら言葉を使っている。きょうはそのことをお話ししたいと思います。

「同じ」をつくる言葉

最初に考えてほしいのは「同じ」という言葉についてです。「同じ」とは何でしょうか。哲学的に考えるなら、これはものすごく深い問いです。具体的に

いまい・むつみ＝心理学者。慶應義塾大学環境情報学部教授。専門は認知科学（認知心理学）、発達心理学、言語心理学。一九八九年慶應義塾大学大学院博士課程単位取得退学。一九九四年ノースウェスタン大学心理学部Ph.D.取得。著書に『言語の本質　ことばはどう生まれ、進化したか』（秋田喜美との共著）『学びとは何か〈探究人〉になるために』『ことばと思考』など。

考えてみましょう。

耳が長くて毛が白く目が赤い、そんなそっくりのうさぎが二羽いたとします。この二羽のうさぎは「同じ」です。でもそういうそっくりな特徴をもっている種類ばかりがうさぎではありません。耳が長くないうさぎも、毛が白くないうさぎもいますよね。でもそれらはすべて同じうさぎです。猫でも同じ。ペルシャ猫、三毛猫、ロシアンブルーは尻尾も色もずいぶん違いますが、同じ猫です。

もっと違う例で考えてみましょう。「ニンジン・じゃがいも・とうもろこし・キャベツ」はどれも同じ野菜。では「テント・マッチ・寝袋・ラジオ・飯盒・ランタン」は何でしょうか。これら一つひとつはまったく違うものですが「これらは同じキャンプの道具だ」といえます。うさぎや猫、野菜の例とは違い、これらを「ある一つの目的のために使うもの」と見なし、わたしたちは「キャンプ道具」という言葉で「同じ」を見つけ表すことができる。言葉が切り取る「同じ」にはこんなものもあります。

共通することを見つけてまとめる、という「同じ」を切り取る言葉の役割にもいろいろな種類があることがわかってきました。「猫」や「キャンプ道具」という名詞で考えましたが、さらに例を拡げてみましょう。数字の「1」が切り取るものは何でしょうか。

いろいろなものを指して「1」といえますが、「1」そのものは目に見えません。わたしたちの目に見えるのは具体的な「1個のリンゴ」や「1匹の猫」

です。ここでは、目に見えない抽象的な概念が切り取られて同じ「1」という言葉で表されています。次に、動詞「歩く」が切り取っているのはどういう内容でしょうか。赤ちゃんが「歩く」とき、みなさんが「歩く」とき、ファッションモデルがランウェイを「歩く」とき、それぞれ実際に行っている動作はだいぶ違いますよね。馬も「歩き」ますし、イモリやサンショウウオも「歩く」。「歩く」ってどんな動作のことを切り取っているんでしょうか。競歩の選手は「走る」と失格になります。歩くってどういうことなのか、このあたりにヒントがあるかもしれません。

「お片付け」という言葉が切り取っているものは何でしょうか。この場合、動作からしてさまざまです。食事の後と、遊んだ後、帰宅して服を着替えた後、それぞれ行う動作も対象も違いますが、わたしたちは「お片付け」という一言で表すことができる。どうやら「歩く」や「走る」という動詞が切り取っているものとはまた異なる「同じ」を切り取っているらしいことがわかります。

これだけではありません。「前後左右」の「前」や「右」が切り取っている「同じ」はどういうものでしょうか。自動車が描かれた絵を見せられて「車の前を探してください」といわれたらどこを探しますか？　「車」ではなく、描かれているのが「木」や「ボール」だったらどうでしょうか。「車の前」と「ボールの前」で答えは同じか。「ボールの右」と「木の右」ではどうか。みなさんに聞いてみると、答えが一致しないことがあります。でも何かしらの「同じ」を切り取っているからこそ、同じ「前」や「右」という言葉で表しているのです。「同じ」の内容は、たとえば「一本」といった助数詞ではさらに違う拡がりをもっています。「技あり一本」「鉛筆一本」「メールを一本打っておく」「きゅうり一本」これらの「一本」が切り取っている「同じ」とは一体なんでしょうか。

経済性の原理と言語の本質

言葉が切り取る「同じ」には、さまざまな異なる視点があり、異なる階層があります。言葉が切り取る「同じ」にはさまざまな「粒度」つまり抽象度がある、と言い換えても良いでしょう。ではなぜ言葉はそんなふうにして「同じ」を切り取らなければならないのでしょうか。そしてこういう働きをする言葉はなぜ必要なのでしょうか。こんなこと、考えてみたことはありますか？

固有名詞のことを考えてみましょう。十四の猫がいるとします。それぞれみんな違う個体として名付けられ、一匹ずつ固有名詞をもっている。さて、固有名詞しかなかったらどうなるでしょう。「猫」という言葉がなく、世界中の猫すべてに固有名詞しかなかったらどうなるか。同じことが先生だったら？コップだったら？　リンゴだったら？

わたしたちは自分に関係のあるいくらかのものは固有名詞で覚えていますが、世界のすべてのものが固有名詞しかもたなかったら、とても人間の記憶力や能力では情報処理できないでしょう。だから、表面的にはさまざまな異なる特徴をもっていても、同じ名前を与えることで、違いを無視している。いわゆる「本質」を取り出すことでわたしたちの能力で処理できるようにしているのです。「猫」という言葉でさまざまな個体の猫たちをまとめ、「歩く」や「一本」という言葉でいろいろな動作や対象をまとめている。この「同じ」を切り取るという言葉の性質をいかした「経済性の原理」こそが言語の本質だとわたしは考えています。

大抵の言葉に一つ以上の意味があることも、この経済性の原理の働きです。「きゅうりを切る」「スイッチを切る」「野菜の水を切る」「風を切って進む」「醤油が切れている」。同じ「切る」という言葉にさまざまな意味を持たせています。

言葉を「使える」ためには何が必要？

人間とＡＩ（人工知能）のいちばん大きな違いもその点です。人間の情報処理能力は限られていて、言葉も人間の能力の限界の範囲で収まるように進化してきた。その一方で、ＡＩはいまのところどんどん情報処理能力、記憶能力を増やしています。しかし、ここで注意すべきことがあります。言葉との関係においては、情報処理能力が高いからより適切に言葉を使える、とは限らないのです。

わたしたちがある動物のさまざまな個体を「うさぎ」という言葉で切り取っていることを先ほど確認しました。ではそのとき、それが「うさぎ」だとわかるのはなぜでしょうか。言い換えると、「うさぎ」という言葉を使うために前もって知っていなければならないことは何でしょうか。白くないうさぎを見ても、耳が長くないうさぎを見ても、わたしたちはうさぎだとわかります。他方、体が白くなく耳も長くない動物ですが、ハムスターを見ればうさぎではないとわかります。どうしてでしょうか。

言葉の「粒度」、つまり抽象度を変えて考えてみましょう。うさぎもハムスターも小さくてかわいく、顔には耳も目もある。この抽象度で考えると、うさぎとハムスターは同じ動物でありペットです。だから、うさぎとハムスターを区別しているとき、わたしたちは何らかの違いを見つけるとともに、さまざまなうさぎたちの何らかの「同じ」を見つけているはずです。それはどういうものなのでしょう。生まれて初めてうさぎを見た赤ちゃんは「うさぎ」という言葉を使うことができるか。赤ちゃんはいつ「うさぎ」という言葉を使えるようになるのでしょうか。

わたしたちは、自分でそこにある「同じ」を見つけなければ言葉を使うことができません。

こんな実験をしてみました。チーズに手をかけてタテに裂いている絵を見せて、「チーズをタテに◯◯◯います」という文章の「◯◯◯」に当てはまる言葉を書いてもらう。じつは、小学三年生くらいだとみんなが正解できるわけではありません。「ちぎって」「切って」「破いて」などという回答が出てきます。これらが正解ではない、ということはみなさんわかりますよね。「チーズをちぎる」とはいわない。誤りには「裂けて」というふうに自動詞と他動詞を混同しているパターンもあります。まとめると、言葉を「使える」ためには意味と文法とがわかっていなければならないのです。

システムとしての言葉

わたしたちが言葉を使えているとき、このような意味や文法の知識をもっていることが背後にあります。外国語を勉強するときのコツはこのことを意識することですね。たとえばある日本語の単語と英語の単語が似た意味をもっているからといって、同じように使えるわけではありません。

「青」という言葉をわたしたちが使っている背景にどのような知識があるか、考えたことはありますか。じつは小さい子どもは色の名前がすごく苦手です。二、三歳の子どもに「青って何色?」と尋ねると「お空の色」と答えることができます。でも、いろんな色の積み木から「青い積み木を取って」と頼んでも正しく取れない子どもがほとんど。不思議ですね、これはいったい何を意味しているのでしょうか。

わたしたちが「青」という言葉を使えるためには、たとえば「青のとなりの色」のことがわかっていなければなりません。「水色」から「青」にどのあたりで変わるのか、「青」と「緑」の境目はどのあたりか。さらには日本語とそれ以外の言葉とでもこの「青」の範囲は変わります。虹の色の数は各国で違うという話を聞いたことがあるひとも多いでしょう。日本語を母語とするわたしたちにとって虹は七色ですが、英語が母語のひとは六色、ドイツ語では五色。わたしたちは青と緑を区別しますが世界には青と緑を区別しない言葉もたくさんあるのです。さらに、わたしたちは「青信号」みたいに青くないものまで「青」といいます。「青い山脈」「青い芝」だって青いわけではありません。そういう慣習を知らないと「青」という日本語の言葉を使うことはできない。言い換えるなら、「青」という言葉と、グラデーションのある青色の真んなか部分の色合いを知っていても「青」という言葉は使えないのです。

言葉はこのように、一語一語ではなく、システムとして働いています。システムとは「たくさんの要素があり、それぞれが別の機能をもちながら互いに関係しあって、ひとつの大きな目的のために働く組織全体」のこと。わたしたちの社会もシステムですが、言葉もシステムなのです。だから外国語も一語一語の意味を覚えても、それだけでは使えないのです。

もっとも、日本語という母語をシステムとして理解していないと使えない、ということをわたしたちは普段あまり意識しません。ある言葉を知っているし使えるけれど、どのように使う言葉なのか説明しろといわれてもうまく説明できないことはたくさんあります。自分がそれを知っていることに気がついていない知識（暗黙知）のことを心理学では「スキーマ」といいます。わたしたちが言葉を使うとき、それを支える膨大なスキーマがあるのです。

「スキーマとはなんだろうか」

「野原をもさもさ歩く」「ご飯をもさもさ食べる」「毛がもさもさの犬」。これらの文章を声に出して読んでみてください。意味としてはちょっとヘンに感じるかもしれませんね。注意してほしかったのはアクセントの違いです。「もさもさ歩く」では高低高低のアクセントですが、「もさもさの犬」は低高低高。言語学的には状態や結果を表すときには低高のアクセントになり、動作の様子を表すときには高低になる。文章の意味はうまく取れなくても、わたしたちはそのアクセントのルールを知っていることがわかります。言語学者が分析を重ね、導き出したルールですが、わたしたちはルールとして学んで知っているわけではありません。けれども、言葉を使うための知識として、それと意識することなく知っているわけです。このようなアクセントのルールは、じつはすごく複雑です。「キラキラ」というのは光っている状態を表すオノマトペですが、「キラキラに光る」と「キラキラと光る」ではアクセントが違う。その違いはとても強固で、逆のアクセントではうまく音読できないくらい違う。

このような暗黙の知識はアクセントに限りません。「シャッターを切る」「野菜の水を切る」「スイッチを切る」、どれもナイフを使って切断したわけではありませんが、どうして同じ「切る」という言葉でいうことができるのでしょうか。さらには「醤油を切らしている」とはいえますが「醤油を切った」とはいえませんよね。なぜでしょうか。

繰り返しになりますが、言葉を使うときにわたしたちが無意識に用いているこうした暗黙の知識が「スキーマ」と呼ばれるものです。間違えていると不自然だとすぐにわかる。でも日本語をわからないひとにこれらのルールを説明してくださいといわれても、すごく難しい。自分では間違えることなく使えてしまう。アクセントや意味、そして文法についてもわたしたちはたくさんのスキーマをもっているのです。

「スキーマの中身を探る」

わたしたちは言葉を使うためのスキーマを、成長しながら学んでゆきます。

宝物の在り処を描いた地図を見せて、「本屋の手前の道を右に曲がると宝物があります」と説明することを考えてみましょう。視点となる「あなた」が地図の手前に描かれていた場合と奥に描かれていた場合とでは、宝物の位置は逆になりますよね。ところが小学二年生くらいではおよそ半数の子どもしか正解を選べません。四年生にもなればみんなできるようになる。

視点のシステムは面白くて、「前後左右」という言葉を使うためのスキーマには、じつは二つの視点システムがあります。先に触れた「自動車の前」を考えてみてください。ボールや木のように「顔」のないものと、ひとや自動車のように「顔」があるものとでは「前後左右」の視点の取り方が違ってきます。

さらには、もし木にも「顔」があると想像するなら、自分に向かい合っているほうが「顔」だと考えることもできますが、木は自分と同じほうを向いていると考えることもできそうです。いったい何が「前」の向きを決めているのでしょう。十人くらいのひとが二、三列に整列していることを想像してください。あるひとの「前のひと」は、そのひとがどっちを向いているかによって変わってきますよね。結局「前」がどちらなのか、状況を踏まえて二つの視点システムを使い分けているのです。

画面の中央右寄りに花瓶を表示し、真んなかにはロボットや丸椅子や背もたれの付いた椅子、TVモニターなどなどを表示させて、花瓶はそれらのモノのどちら側にありますか、と尋ねる実験をしたことがあります。丸椅子なら多くのひとが「右」と答えるのに、こちらを向いたロボットだったら「左」が多くなる。つまりわたしたちは、ロボットならロボットの正面を中心にした視点システムを使い、そうした正面のない丸椅子の場合、自分を中心とした視点システムを使っている。とはいえ、ロボットの場合でも、自分を中心とする視点システムを採用して「右」と答えても間違いではないですよね。逆に、そのモノに正面があるからといって、それを中心にした視点システムを使うとは限らないのは、TVモニターを考えてみればわかるでしょう。モニターにも「正面」はありますが、この場合、花瓶がモニターの「左」にあると答えるひとは多くないでしょう。このように、わたしたちは二つの視点システムを暗黙の知識、スキーマによって使い分けているわけです。

外国語の勉強のコツ

言葉を使うためのこのような暗黙知は言語によって違います。英語の「cut」を使って「醤油を切らしてしまった」とはいえません。「cut」も「切る」同様、その単語なりの意味の拡がりをもつ多義語ですが、その拡がり方は日本語とはすごく異なっている。日本語の「切る」と同じようなつもりで「cut」を使ってしまうと間違えてしまうのです。

形容詞の意味の拡がりのスキーマはとても難しいですね。「頭が固い／柔らかい」という日本語を英語ではどういえばよいでしょうか。「His head is solid.」「His head is rigid.」という表現で伝わるでしょうか。おそらく伝わりません。これでは物理的に固く、石をぶつけたら石のほうが砕けてしまうくらいの硬い頭、という意味になってしまうでしょう。日本語の、考え方が柔軟ではない、という意味にはなりません。

日本語では、犬も夢も「追いかける」ことができます。でも英語では犬なら「chase」、夢なら「pearth」。全然違う動詞を使わなければならない。共起の関係といいますが、ある単語がどの単語と結びつくかをめぐるスキーマは、その言葉を使ううえでとても重要です。英語を使えるようになりたいと思えば、この共起の関係を学習することがすごく大事です。

「見せつける」と「見せびらかす」の意味の違いはわかりますか？

わたしの友人でチェコの名門カレル大学で日本語を教えている方がいます。日本語がすごくできる人ですが、ときどき面白い間違い、不自然な使い方をするのです。わたしが書いた『言語の本質』▼という本を彼女に送ったお礼のメールに、「日本語学科の先生たちに見せつけています」とあったのです。なんかヘンですよね。しばらく考えて「見せびらかす」といいたかったのだとわかりました。「見せびらかす」もあまりいい感じではない言葉ですが、「見せつける」にはどこかネガティブなところがあります。

こうしたニュアンスをうまく使いわけることも、無意識に得ている膨大なスキーマが支えています。非母語話者はこうした微妙なところを間違えることがあります。こうした間違いが、わたしたちがどのように言語を学習しているのかを考えるヒントになります。

▼**『言語の本質　ことばはどう生まれ、進化したか』**
言語学者と認知科学者である著者二人が、なぜヒトはことばを持つのか、子どもはいかにしてことばを覚えるのか、巨大システムの言語の起源、ヒトとAIや動物の違いなど、さまざまな角度から言語の本質に迫る一冊。「新書大賞　二〇二四」第一位。今井むつみ・秋田喜美著、中公新書、二〇二三年刊行。

みなさんが英語を勉強するときでも同じです。よくいわれることですが冠詞の「a」と「the」の使い分けはわたしたちにはとても難しい。「限定されているときはtheを使う」といわれますがその説明を覚えていても、とっさに正しく使えるわけではありません。瞬間的に正しい判断ができるのは、分厚いスキーマがあってのことです。

丁寧表現もそうしたスキーマが求められる典型です。丁寧な感じのする単語もあれば、ぞんざいなニュアンスになってしまう言葉もある。どの単語をどう使うと丁寧な表現になるのか、とても難しい。丁寧にいいすぎると、皮肉や嫌味になってしまうこともありますよね。

スキーマを育てる難しさ

言葉を自由に使うためには、海に浮かぶ氷山には水面下に大きな氷があるように、見えない膨大なスキーマを育てなければなりません。外国語を学ぶときには、とくにそのことを意識する必要があります。無意識に、自分の母語のスキーマを当てはめてしまうことがよくあります。

二歳児向けの、おてがみをもらうとうれしいということが絵と単語で描いてある絵本をみて、この絵をどういう英語で表すか表現してもらう、というプロジェクトをしたことがあります。高校生たちが書いたのは次のような面白い文章でした。「Getting a letter is happy.」「It is grant to receive a letter.」。こういう単純な文章でもどこかヘンなものになってしまう。日本語のスキーマが無意識に単語や文法の理解に影響しているのです。

その言語にあわせたスキーマを育てるのはとても難しいことです。意識して分析し、日本語などの母語と比較してゆくことが大切です。

ウズベキスタンに旅行したとき、十年間以上でしょうか、日本からの観光客ツアーを長年アテンドしているガイドさんに会ったことがあります。何度も同じような観光地を案内してきて、彼の話す日本語はすっかり流暢になっていますがやっぱりときどきヘンな場合がある。美しい金の装飾でいっぱいのモスクを案内したとき、彼は「金だらけのモスク」といいました。確かにそのとおり。意味もわかりますがモスクのステキさがなくなっちゃう感じがしますよね。おそらく「～だらけ」という言葉の意味の拡がりを「～でいっぱい」と教わり、それでOKとずっと思ってきたのだろうと思います。

一つひとつの言葉の使い方に敏感になり、日本語とどう違うのかを意識して分析してみる。似たような意味の言葉がどう違っているのか、疑問をもって考えてみる。そうやって背後に潜むスキーマに気がついてゆくことが、外国語を学ぶことなのです。

言い換えると、言葉のスキーマはそれぞれ、その言葉による世界の切り分け方なのです。それを意識してゆくことは外国語の学習にも役立ちますし、世界の見方の多様さに気がつくことにもつながることでしょう。

Q&A

——日本語と近いスキーマをもっている言語はありますか？

「もさもさ」のアクセントでご紹介したように、アクセントも文法もそれぞれすごく深くスキーマに関係しています。スキーマにもいろいろなレベルがありますが、ある言語のスキーマはほかの言葉には通用しない。とはいえ、韓国語は、欧米の言語に比べて日本語とスキーマが近いとよくいわれます。いずれにしても、外国語を勉強するときは要注意です。近いからこそ、日本語のスキーマが使えるとは思わないほうがよいでしょう。

わたしの思い出の授業、
思い出の先生

神奈川県立平塚江南高校に入学した。一年のときの担任が英語の先生だった。お名前は山崎先生。青山学院大学の英文科を出られたと思う。恰幅がよく、強烈なキャラクターでひたすら厳しかった。江南高校は当時かなりの進学校だったが、その先生の英語の授業は高校のレベルを超えていた。ついこの間まで中学生だった一年生に、リーダーではサマセット・モームやバーナード・ラッセルなどの文章を読ませ、英作文では、かなり長い、きちんとしたトピックをもった英作文の宿題がでた。同級生の多くは萎縮していた。わたしも怖かったが、その先生がわたしたちに受験のための英語ではなく、「本当の英語」に触れさせ、「本当の英語力」を身につけさせようと本気だったことは感じられ、泣きべそをかきながらも必死で宿題に取り組んだ。英作文は、膨大な数の間違いを丁寧に赤鉛筆で直し、少しでも良いところがあれば褒めてくれた。それ以上に、その先生から「英語を学ぶ」ことの厳しさを教えていただいた。高校一年のときの山崎先生の授業で、五年分くらいの英語を学んだ気がするし、その授業があったから、アメリカの大学院に行くための英語の勉強も怖くなかった。その意味で、山崎先生の英語の授業はわたしの一生を変えたものだった。

高校卒業後もよく思い出していたがお会いする機会はなかった。わたしがアメリカに留学しているときに、病気のため急逝されたと友人から聞かされた。いま山崎先生にお会いできたらあのとき必死で英語を勉強していた自分のことをお話し、心からの感謝を申し上げたかったのにと思うと残念でならない。

わたしの仕事を
もっと知るための3冊

今井むつみ・秋田喜美『言語の本質　ことばはどう生まれ、進化したか』（中公新書）

今井むつみ『ことばと思考』（岩波新書）

今井むつみ・針生悦子『言葉をおぼえるしくみ　母語から外国語まで』（ちくま学芸文庫）

好きなことを仕事にするということ

都甲幸治

とこう・こうじ＝アメリカ文学研究者、翻訳家。早稲田大学文学学術院教授。一九六九年生まれ。東京大学大学院総合文化研究科表象文化論専攻修士課程修了。翻訳家を経て、東京大学大学院総合文化研究科地域文化研究専攻アメリカ科修士課程修了。同大学院博士課程、南カリフォルニア大学大学院英文科博士課程に在籍。著書に『教養としてのアメリカ短篇小説』など。

「読書に逃げ場を求める高校時代」

学校生活を振り返ると、しんどいことが多かったなと思います。だって、学校の授業を毎日朝から長時間座って受けなくちゃいけないじゃないですか。しかもぼくの場合、もともと理系だったのを途中で文転して、急にいろいろな教科を勉強しなければいけなくなってしまったので、受験勉強ばかりしていたらだんだんと心が折れてきたんですね。それで、逃げ場を求めるようにして、昔から好きだった読書をより激しくするようになっていきました。ぼくは、小さいころからとくに外国文学が好きで、岩波少年文庫▼シリーズやシャーロック・ホームズ、怪盗ルパン、江戸川乱歩の小説などを読むような少年でした。受験生時代は一日一冊のペースで、小説だけじゃなくて、ドキュメンタリーとかビジネス書とかタレント本とか、ありとあらゆる本を手当たり次第に読んでいました。

本を一日一冊も読んでいたら、どうしたっていろいろしゃべりたいことを思いつきます。それで昼休みに「都甲くんの話を聞く会」を自主的に開催していました。毎日、理科室に生徒が十五人ぐらい集まって、ぼくが最近読んだ本の話をする、ちょっとした講演会みたいなものです。この謎の会のうわさは知れわたり、最終的には先生も参加したりしていました。ぼくが本を読んでしゃべって、みんなの感想を聞いてレスポンスをもらう。とにかく楽しい体験でしたね。

▼岩波少年文庫
古今東西の名作を美しい日本語で届けるために、一九五〇年のクリスマスに創刊された。リニューアルや新訳への切り替えなどを経ながらも基本姿勢はそのままに刊行を続けてきた少年文庫。収録作品数は二〇二〇年時点で四百六十作を超える。

都甲少年、サリンジャーと出会う

当時のぼくは読書と同じくらい英語の勉強も好きでした。ある日、英語の教材に寄稿されていたエッセイを読みました。売野雅勇という作詞家の方が書いたエッセイで、小説家のJ・D・サリンジャー▼の影響を受けて歌謡曲の歌詞を書いたという内容が載っていました。それでサリンジャーの『ライ麦畑でつかまえて』を読んでみたら、驚くほどハマってしまったんです。「なんだこれは！めちゃくちゃかっこいいぞ」と衝撃が走りました。

主人公は、先生に怒られてアメリカの高校を退学になってしまった男の子。郊外に住んでいたのですが、退学を機に実家があるニューヨークに帰ることに

▼J・D・サリンジャー
アメリカの小説家。一九一九年生まれ。代表作『ライ麦畑でつかまえて』は世界中の若者たちに影響を与え続けている。斬新な口語体を駆使するなどして、ウィットと翳りに彩られた作品を生んだ。二〇一〇年没。

します。すでに何回も高校を中退していたので、帰れば間違いなく親に怒られてしまう。そう思って、仲良くなった先生の家に行ったり、自分のお小遣いでホテルに泊まったり、バーに飲みに行くのですが「あなた未成年でしょ」とお酒を出すのを断られたり。そんなふうにして、一週間ぐらいふらふらと家に帰らないんですよ。

主人公のしゃべり方がとにかく大袈裟で、思考が複雑怪奇なんです。誰もが一度は考えたことがあるけれどいってはいけないこと、あるいは馬鹿にされるからひとにわざわざいわないことってあるじゃないですか。そういうことばかり書いてあるんですよ。

最初は日本語で読んだのですが、ハマってから英語版でも読みました。意味のわからない単語は飛ばしながら。日本語版も悪くないのですが、英語で読むと口語的な言葉で書いてあって、しゃべりの雰囲気がよりつかめる気がしました。なにしろいまから七十年くらい前の本なのに、直接目の前でしゃべりかけられているように感じるんです。日本語で書かれた同時代、同世代の文章に共感するのならわかりますが、いまの自分とまったく違う昔のひとが外国語で書いていているわけです。それなのにグッとくる。こんなに共感できるひとが遠くにいることもあるんだと知った新鮮な経験でした。

サリンジャー以外にも、レイモンド・カーヴァー▼や、日本文学だったら村上春樹なども読んでいました。それまで文学といえば大江健三郎のように偉いひ

▼レイモンド・カーヴァー
アメリカの小説家、詩人。一九三八年生まれ。短編小説の名手として知られ、日本では村上春樹が作品を訳し紹介した。著書に、短編小説集『頼むから静かにしてくれ』など。一九八八年没。

とが歴史や思想を考察しながら芸術的な文章で書くイメージだったのに、彼らが簡単な文章でふつうのひとのふつうの暮らしを描いていたことに、驚いたのを覚えています。庶民的なのに芸術作品としては高度なことをしていて、音楽でいえばロックやヒップホップに近いことをアメリカ文学もしているんじゃないかと思います。その他には、スーザン・ソンタグ▼の評論なども読んでいました。

こうして、高校時代は受験勉強からの逃避をきっかけに、アメリカ文学にどんどんのめり込むようになっていき、思い込みの強かった当時のぼくは、「大好きなサリンジャーのような本に関わるひとになろう！」と、心を決めてしまったのです。

ただ、決めたはいいものの、どうすればそんなふうになれるのか、まるでわかりませんでした。高校の先生たちは一流大学に生徒を合格させる知識はあっても、大学に行くと将来何になれるかは全然教えてくれなかったんです。仕方がないから自分なりに考えて、いちばん難しい大学のいちばん難しい学科に受かれば、進路が選びたい放題なんじゃないかと思いいたりました。いま考えると、ものすごく雑な思考回路ですよね。調べてみると、日本でいちばん難しい文化系の大学が東京大学の文科一類というところでした。

▼スーザン・ソンタグ
アメリカの作家、映画製作者、社会運動家。一九三三年生まれ。リベラル派の知識人として、ベトナム戦争やイラク戦争に反対した。著書に、『ハノイで考えたこと』『反解釈』『ラディカルな意志のスタイル』など。二〇〇四年没。

「どんどん迷走する進路」

なんとか東京大学の文科一類に入学できたのですが、入ってすぐに、自分のとった選択が大きな間違いだったことに気づきます。東京大学は、一類が法学部、二類が経済学部、三類が文学部で、ふつうに考えれば文学が好きなんだから文学部に行けばよかったのに、雑な理論で法学部にしてしまったものですから、びっくりするくらい周囲と合わない。

まず、一類にいる学生は法律を学んで将来国家公務員や検事、弁護士になりたいひとたちばかり。みんな賢いけれど、読書自体に興味があるわけじゃないんですね。いまでも鮮明に覚えていますが、オリエンテーションで河口湖に向かうバスのなかで、初対面のクラスメイトから突然「日本社会を動かしていく一流の人間と早いうちから知り合って人脈を築き上げるために、ぼくは東大に入ったんだよ」なんて話しかけられて、大いに引きました。

それから、授業もどうにもつまらない。先生が「隣の家と自分の家のあいだに塀がある。隣の家から木の枝が伸びていて、秋になると落ち葉が落ちてきて迷惑である。法的に落ち葉を掃除しなければならない義務はどちらに発生するでしょう」みたいな練習問題を出すんですよ。法律の授業だから仕方ないのですが、ぼくからしたら、気になったひとが掃除すればいいじゃないかと思ってしまって、とても耐えられませんでした。

成績も伸びないし、友だちもできない。自分はなんでもできると思い上がって東大に入りましたが、自分にできることなんて全然ないんだと、二年ほどの月日をかけて思い知りました。悩んだ末、当時の自分は文学だけでなく、哲学やアートにも興味をもっていたので、アートを哲学的に解釈する表象文化論という学科に移ることにしました。

しかし、その選択もまた、間違いだったんです。まず、大学三年生で大きく進路を変えたので、非常にアウェイ。しかもその学科には、中学や高校のころから当たり前のように哲学書やフランス語の本を読むような優秀なひとばかりがいました。当時、同じ学科の後輩には東浩紀▼さんもいたのですが、彼は学生のうちから自身の議論が商業的な雑誌に載ったりしていました。そういう、早いうちからはっきりとした哲学的な思想のあるひとがいるなかですから、大学から始めたばかりのぼくみたいなひとは全然ついていけません。学科のディスカッションで発言をすると毎回怒られるし、完全に劣等生でした。

もう大学に行きたくないなぁなんて思いながら、なかば逃避をするように、別の学科で教えていたアメリカ文学研究者の柴田元幸先生▼の授業に出ていたんです。そうしたら、この授業ではとても評価されました。何をいっても先生に褒められるし、ほかの学生たちからも感服されるし、自分も気持ちよくしゃべれるし。考えてみれば、アメリカ文学は子どものころからずっと好きだったわけで、当然といえば当然だったのかもしれません。

▼東浩紀
批評家、哲学者、小説家。一九七一年生まれ。株式会社ゲンロン創業者および取締役。哲学、表象文化論を専攻。著書に、『存在論的、郵便的　ジャック・デリダについて』『動物化するポストモダン　オタクから見た日本社会』『訂正する力』など。

結局、表象文化論の大学院には進学したものの、やっぱりまったく合わないままで途方に暮れていました。すると柴田元幸先生に、チャールズ・ブコウスキーの『勝手に生きろ!』を翻訳してみないかと声をかけてもらったんです。そのときまで翻訳をやろうなんて考えてもみなかったのですが、絶望しかけていたときに声をかけてもらえたのがうれしくて、夢中になって翻訳しました。

そして、いざ自分の翻訳した本が刊行されたのを見て、思い込むんですね。「自分はもはや一流翻訳家だ! これはアメリカ文学の翻訳を生業にするしかない!」と。どうやらぼくは、人生の大事なタイミングで、なんの根拠もないのに「これだ!」と思い込むくせがあるようです。

それで意気揚々と翻訳家になったわけなんですが、蓋を開けてみると年に一冊ぐらいのペースでしか仕事が来なくて、全然食べていけません。当たり前ですよね。しかも、柴田先生からは「都甲くんは英文法があやふやだから、中学レベルの参考書から学び直したほうがいいよ」といわれてしまった。当時の年収は五十万円程度で一人暮らしもできず、実家の子ども部屋で、ゼロから英単語や文法を勉強しながら異常に遅いスピードで翻訳するという悲しい状態が続きました。

そんなふうに生きていたら、あっという間に二、三年が経ち、ぼくは二十八歳になっていました。東大の大学院まで行っているのに、めちゃくちゃ少ししか稼げなくて、人生がまったくひらけない。またも柴田先生に泣きついたら、「気

▼柴田元幸

アメリカ文学研究者、翻訳家。東京大学名誉教授。一九五四年生まれ。ポール・オースターやスティーヴン・ミルハウザー、リチャード・パワーズほか、現代アメリカ文学の翻訳を多数手掛ける。文芸誌『MONKEY』責任編集。二〇一七年、早稲田大学坪内逍遙賞受賞。

▼チャールズ・ブコウスキー

アメリカの作家、詩人。一九二〇年ドイツ生まれ。三歳でアメリカに移住。アメリカ放浪の末に二十四歳で最初の小説を発表。その後、郵便局に勤務しつつ創作活動を続け、現在までに百冊に及ぶ著作が刊行されている。著書に『勝手に生きろ!』など。一九九三年歿。

づいたと思うけど、純文学の翻訳だけで食べていけるひとは日本にはほとんどいないよ。もう一度大学に入り直して、大学の先生になったら生きられるんじゃない?」と助言をもらったのです。

それで、ぼくのくせが再び出現します。「そうか! アメリカ文学を教える大学教授になればいいのか」と思い込むわけです。本当に懲りないですね。

「肌で感じた世界の多様さ」

すぐさま、「アメリカ地域研究」という文学も歴史も学べる学科に修士課程から入り直しました。もう二十八歳なのに二十二歳のような顔をして、これまたアウェイなスタートを切ったのですが、こちらではわりとすぐに認めてもらうことができました。

しばらくして、大学教授になるにはアメリカに留学したほうがいいという情報を聞きつけ、手当たり次第アメリカの大学に願書を送ることに。運よく南カリフォルニア大学に合格し、すぐさまロサンゼルスに移住しました。三十一歳になるころです。

向こうで待っていたのは、ベトナム難民だったヴィエト・タン・ウェン先生▼でした。先生がベトナム系の移民だったこともあり、授業でマイノリティ文学をよく取り上げており、クラスメイトにもさまざまなバックグラウンドをもつひとがいました。ナイジェリアで反政府活動をやっていて、このままじゃ政府に殺されるからと亡命してきたひとや、先祖がナチスに追われてアメリカにやってきたユダヤ系のひと、それから、韓国から養子縁組で白人の家庭にもらわれた女性で、もとの名前も奪われ、自分のルーツがわからないひと……。日本だったら、「この国に来たのは殺されないためです」なんて真顔でいうクラスメイトはいないじゃないですか。でも、この環境では、そういう過去をもつクラスメイトが当たり前にいるなかで、一緒にディスカッションをするんです。

世界中から集まってきたひとたちと英語で話すうちに、いろんな考えや思想を抱えているひとがいるのだと体感することができました。それまでは、おしゃれでかっこいい主流の現代アメリカ文学を好んで読んでいたのですが、この経験をきっかけにマイノリティ文学や亡命してきたひとたちの作品なども読むようになりました。結局、三年ほどアメリカに滞在し、日本に戻りました。

日本に帰国すると、早稲田大学の英文学コースでアメリカ文学を教えられる先生を募集しており、ぼくは三十四歳にして、ついに念願だった大学の先生になりました。

大学の授業は講義もありますが、主にディスカッションで行っています。たとえば二十人ほどの学生に同じ作品を読んできてもらい、輪になって座って、感じたことや考えたことを議論する。このディスカッションのゴールは「先生

▼**ヴィエト・タン・ウェン**

南カリフォルニア大学教授。一九七一年、ヴェトナム生まれ。一九七五年にサイゴン陥落後、家族とともに渡米。カリフォルニア大学バークレー校で英文学と民族研究を専攻し、英文学の博士号を取得。二〇一五年に発表した初のフィクション長篇『シンパサイザー』は、ピュリッツァー賞、アメリカ探偵作家クラブ賞をはじめ、多くの文学賞を受賞。

が思いもしなかったことをいうこと」です。ふつうの授業だと、習ったことを勉強して記憶して、それを再現できたら高得点でしょう。だけど、ディスカッションの授業では習ったことをいったら怒られる。あるいは、調べてきたことをただいうだけじゃ加点されません。

作品を読んで自分が感じたことを、人に伝わるようにしゃべったり、教師やほかのひとの意見を聞きながらアドリブで考えてしゃべったりしながら、みんなでアイデアを出していく感覚をつかむのが目的です。謙虚に作品を読んだうえで、作者の意図をくみとり表現するには、自分の内側でいままで降り積もってきたもの――たとえばみなさんにも十五、六年で培った知的な能力や感覚的な能力があるじゃないですか。それらを総動員させながら、新しいアイデアをつくっていくんです。

作品をつくっているのは作者だけではありません。もちろん半分は作り手ですが、もう半分は読み手が作品をつくっています。ロラン・バルト▼もいうように、作品の半分は読者が書くんです。だから、自分の精神が練り上げられないと、面白く読むことはできません。そういう点では読むことも創作だといえるでしょう。

好きなことを仕事にするということ

「好きなことを仕事にする」というと、ふつう、「好きなことが仕事になりました。やった〜！」となるのをイメージするじゃないですか。ぼくもずっとそう思っていました。でもね、文章表現を仕事にする場合、じつはそうではないんです。いま目の前にある対象を見てどう感じるか、常に自分のなかの感覚をちゃんとつかむことが、結果的に「好きなことを仕事にする」ということになるんです。

たとえば、翻訳をする場合で考えてみましょう。ただ和訳するのであれば、意味が正しく取れていれば百点ですよね。でも翻訳では、それだけでは0点です。この場面で、主人公はどういう感情なのか、それをどう日本語にしたらいいのかを考えて、ミリ単位で試行錯誤しながら表現しなければいけません。

一人称はわたし／あたし／ぼく／俺のうち、どれなのか。最初に主語が出てくるのと動詞の直前に出てくるのでは、どちらがいいのか。句点を打つのか否か。ひらがなで書くのか漢字で書くのか。こういった微妙な表現の違いで、確実にニュアンスが変わります。一言一句にあらゆる選択肢を考えながら、原文の表現にできる限り近づけていくのです。

その際に、これ見よがしに自分の色を出そうとするのはよくない翻訳です。逆に、どの作品を読んでも、もし日本語で作者が書いていたらこうなるかもし

▼ロラン・バルト
フランスの批評家、思想家。一九一五年、フランスのシェルブール生まれ。パリ大学で古代ギリシア文学を学び、結核のため一九四一年から五年間、スイスで療養生活を送りつつ、初めて文芸批評を執筆する。一九五四年に『零度のエクリチュール』を発表。その後、一九七七年からコレージュ・ド・フランス教授。一九八〇年歿。

れないと読者に思わせられるくらい原文に忠実で、訳したひとの色が消えているほうがいい。だから、よい訳をするには自分の存在をどんどん削っていく必要があるんです。そして、どんなに削っても訳者の味はにじみ出るものであり、そうやって出てきた個性は不思議と嫌な感じがしないものです。

これは、翻訳だけでなく、あらゆる文章表現で同じことがいえます。先ほどのディスカッションをする授業でもそうですし、自分で文章を書くときもそうです。明るい感じか暗い感じか、好きか嫌いか、語順を入れ替えたらどうか……のように、ほんとうにわずかな感覚の変化を感じとり、表現していく。その際に、対象のことを忠実に捉えるために自分の感覚をしっかりとつかんだまま、余計な部分を削っていく作業をすると、嫌な感じのしない個性がにじみ出てくる。嫌な感じのしない個性がにじみ出てくるようになると、自分に直接関係のないひとや自分と興味関心が必ずしも重ならないひとにまで届くようになっていきます。言葉が遠くまで届くようになる、ということですね。

ぼくは、人生の分岐点で、ことあるごとに自分の強い思い込みで道を決めてきました。いつも自分の好きなことをやろうと躍起になって、周囲とぶつかっていたように思います。でも、いまになってようやく気づいたことがあるのです。ぼく自身がずっと憧れてきた「好きなことを仕事にする」というのは、じつは「自分の感覚を大事にしたままで仕事ができる」ことだったのです。

受験勉強のような正解のある勉強ばかりやっていると、どうしても自分の感覚を押し殺して、決まった時間のなかで最大限のパフォーマンスをすることがくせになってしまいます。逆に、自分の感覚に固執しすぎてもいけません。自分ひとりの感覚だけでは狭すぎて、どうしてもひとりよがりになってしまうからです。

そうならないために、いろいろなひとと出会い、いろいろな時代の考えをとり入れ、いろいろな言語を勉強して、自分の感覚を広げていく必要があります。そうやってできるだけ自分の感覚を広げていくと同時に、その感覚を誠実に高度なものへと練り上げていく。この作業ができてはじめて、自分らしくあることと、仕事をすることの両方が満たされていくのではないかと思います。

Q&A

――別の言語から日本語に翻訳するとき、日本語にしづらい言い回しや表現があると思います。読者に伝わるように翻訳しようとした場合に起こる「自由」と「制限」について、先生はどう考えていますか。

翻訳しやすいと思うときは、むしろ罠です。じつは、英語と日本語で対応している単語なんか一つもありません。空気感も違うし見た目も違うし使い方も違うし、背負ってきた歴史もすべて違う。

ぼくが好きな翻訳家は、ジョン万次郎と杉田玄白で、中学生のころの愛読書は『蘭学事始』▼でした。これの何がすごいかって、江戸時代にはろくな辞書がないんです。そんな状態で、オランダの医学書を訳していった記録なんですよ。

一方で、明治時代以降は辞書があります。だから、ぼくらが訳すときには、すでに「この単語はこう訳す」という先輩たちがつくった道ができあがっているわけですね。この道を通れば、そこそこいけます。

でもね、逆にいえば、そこそこしかいけないいんですよ。なぜかというと、先輩たちが目の前の外国語を見て、どう訳したら伝わるか必死に苦しんで、苦し紛れに思いついた訳文が翻訳の歴史になり、翻訳の歴史がまとめられて辞書になっているからです。もちろん先輩たちの努力はふまえたほうがいいんだけど、いまあなたが目の前にしている外国語に関しては、先輩たちが見た外国語とは別ものでしょう。だから本来はどの単語もすべて自分で訳文を考えなければいけないんです。

先輩たちがやった通りに翻訳してみると、原文と微妙にずれていると感じることがしばしばあります。そうなると、途端にどう訳したらいいかわからなくなる。この、わからなくなったときがチャンスで、翻訳家の創造性が発揮されるときです。

だから、翻訳とは、自由かといえば無限大に自由であり、逆に不自由かといえばこんな不自由なことはない。外国のひとが外国語で書いたものを精密に言い換えるわけだから究極的に不自由なんだけど、ニュアンスをうまく出すため

▼**『蘭学事始』** 一八一五（文化十二）年、八十三歳の杉田玄白が蘭学の沿革を述べ、初期の蘭学者としての苦心談を晩年に回顧したもの。上下二編。日本における蘭学導入草創期の経緯が現場にいた者の目で描かれており、訳書『解体新書』成立までのいきさつは読み応えがある。

に当てはめることのできる言葉の可能性は無限大だから、究極的にはものすごく自由でもあるということです。

翻訳をする際に陥りがちなのが、原文のニュアンスを自分で勝手に変換していいと勘違いして、即興で自分に気持ちよく訳してしまうことです。これはよくありません。意外と即興ってできないものなんですよ。自分ではその場で思いついたと思っていても、じつは昔考えたことや感じたことを繰り返してしまっているだけだったりする。だからむしろ、原文に即しながら、自分が気持ちいいと思う道筋をあえてはずれようとする姿勢がすごく大事なんです。

先輩の道も役に立たないし、いままで自分が確立してきた気持ちいいやり方もはずさなきゃいけないとなると、ものすごく脳に負荷がかかりますよね。どう訳せばいいか毎秒毎秒突きつけられ、自由と不自由のあいだでうんうん苦しむ。しかも、苦悩の末にできた訳語は、サッと雰囲気で訳したと読者が感じるくらい肩の力が抜けたものでなくちゃいけない。そうじゃないと、読者が軽やかに楽しんで読めないからです。読者は、まさかぼくらが唸って訳しているなんて思ってもみない。でも、じつは翻訳者はものすごく身を削ってやっている。翻訳って、そういうものなんですね。

わたしの思い出の授業、思い出の先生

柴田元幸先生の「アメリカ現代短篇を読む」という授業には大きな刺激を受けました。とくに文学史的に重要な作品を選ぶのではなく、先生が実際に読んでみて面白いと思ったものを学生たちに読ませる。そして一人ひとりの意見を尊重しながら、読みのアイディアを集団で練り上げていく。複数の人々の脳が繋がって新しいものが生み出される現場に参加するのはスリリングな体験でした。権威としての外国文学ではなく、同時代を生きる仲間の作品としてアメリカの小説を読む。しかもそれについて自分の感覚や感性を駆使しながら自由に考えていい、というこの授業の前提自体が、いまから三十年前においては非常に先進的なものだったと思います。ぼくが現在やっている教育のスタイルも、この柴田先生のワークショップの延長線上にあるのではないでしょうか。ひととの関わり方という意味では、教育者としてだけでなく、日々を暮らす人間としてのぼくの人生を変えた授業となりました。

わたしの仕事をもっと知るための3冊

都甲幸治『教養としてのアメリカ短篇小説』（NHK出版）
トニ・モリスン著、都甲幸治訳『暗闇に戯れて　白さと文学的想像力』（岩波文庫）
チャールズ・ブコウスキー著、都甲幸治訳『勝手に生きろ！』（河出文庫）

生のアトリエ

山本浩貴

ぼくはふだん小説や詩を書いたり、デザインをしたり、本を自分で編集して出版したりしています。ふつうは小説家なら小説一本、詩人なら詩一本、と活動すると思うのですが、実作者として詩や小説を書いているうちに、だんだん、それをどう社会に向けて流通させるか、ひとに届けるか、ということも考えるようになりました。

二〇一五年ごろから、「いぬのせなか座▼」というグループを友人たちと始めました。きっかけは、大学を卒業したタイミングで友人のひとりが自殺してしまったことです。そのことをどうやってみんなで考え続けていくかと悩んだときに、受け皿としてのグループをつくることにしました。そのなかで本をつくるなど、活動が広がっていき、いろいろな肩書で、本や言語表現、とくに小説や詩にまつわる仕事をあれこれやっています。

やまもと・ひろき＝小説家、デザイナー、批評家、編集者。一九九二年、愛媛県生まれ。早稲田大学文学部文学科哲学コース卒業、東京大学大学院学際情報学府修士課程修了。二〇一五年より制作集団・出版版元「いぬのせなか座」主宰。二〇二二年まで文芸誌「早稲田文学」編集。「クイック・ジャパン」アートディレクターなどを務めた。著書に『新たな距離　言語表現を酷使する（ための）レイアウト』がある。

「文学の再定義」

いま小説や詩を書こうとすると、社会からの評価にすごく左右されてしまいます。たとえば小説の新人賞に応募して、評価されて、受賞したらデビューできる。そうなるまでは、作品を発表したとは見なされず「習作ですね」とか「頑張っているんですね」とか「そんなことやってないでもっと意味のあることをやりなよ」とかいわれます。本を出すことができたとしても、それが売れないと、社会から評価されていないように感じられます。あるいは、「芥川賞をとった作品はこういう社会問題を題材にしている。だからこれを読むべきだ」という評価もあります。文学の意味や価値は、社会の側から決められがちなのです。

一方で、小説や詩を読んだり書いたりするとき、ごく個人的な、その体験の前にはなかった感覚が生まれることがありますよね。たとえば今日、友だちと帰り道で話したことを文章にしてみるとしましょう。しっくりこないなと思って何度か書き直してみたり、何日かおいてもう一度読み直したりして、こだわってみると、その一日の何気ない風景や会話が、なんだか大事なものになってきてしまう。そうして文章を書いたり読んだりするうちに、元気になったりつらくなったり、あるいは忘れがたいものになったり、自分のなかの独特な経験が芽生えてくるのです。

社会ではものの価値が変わってきて、文学の価値も変わってきているといわ

▼いぬのせなか座
言語表現を中心に、制作や出版、デザインや議論などを通じて、生と表現のあいだの個人的な結びつき＝アトリエ、あるいは〈私の死後〉に向けた教育の可能性を、なるべく共同かつ日常的に考えつづけていくための場（制作集団・出版版元・デザイン事務所など）。二〇二一年末に五人体制（h、笠井康平、鈴木一平、なまけ、山本浩貴）で活動していた第一期を終了。二〇二三年五月からは、主宰の山本浩貴を中心に、第二期として活動。

れます。しかし、自分が文章や言葉に触れた瞬間に感じるものは、何か代えがたいような気がしてしまう。ぼくは、この「気がしてしまう」というところにこだわりたいのです。

あくまで「自分にとって」いい小説や詩や、文章を書くことができるかどうか。偉いと褒められるからではなくて、「自分にとって」必要だから、ものを見聞きしたり、書いたり読んだり、経験すること、それ自体を肯定したい。

そのために、ごちゃごちゃした日々の、代えがたい自分の人生のなかで、いまこの瞬間に感じていることをなんとか大事にしていくための、手軽で安くてひとりだけでやれる方法として、文章を書く、言葉をつかうということを考えています。

「本」はやばい装置

そもそも言葉って、自分のこの体にとってどんな意味を持っていると思いますか？　自分の考えを表現するとか、ひとに何かを伝えるとか、いろいろあると思いますが、一番大きいのは、言葉がそこにあるだけで、ものすごく強く体に働きかけてくるということ。たとえば、壁に模様があるとして、それだけだったら誰も何も思わないですよね。でも、同じ場所に文字で「通行禁止」と書いてあったら、そこを誰も歩かなくなります。「危険」と書いてあったら、そっちに行ったら危ないと判断して、誰もそこに行かなくなり、ひとの流れが変わってしまう。あるいは、ホラーっぽい話になりますが、家のなかでリラックスしているとき、壁に知らないひとの文字で「見てるぞ」と書いてあったら、怖いですよね。その瞬間、自分の世界が変わってしまうわけです。冷静に考えたら、そこに文字があるだけなんですよ。でも、それによって恐怖で冷や汗をかいたり、何もかもが全然違って見えてしまったりする。そういうふうに、言葉によって人の体の状態は変わってしまうのです。

「死ね」とか「キモイ」とか「お前全然面白くない」とかいわれたとして、いった当人は気にしていないかもしれないけれど、いわれたほうは、その言葉にぐっと体が反応してしまうことがあります。それで案外ひとって死んでしまったり、そうでなくても世界の見え方が変わってしまったりしてしまう。

言葉というのは、学校でも習って、当たり前のようにみんなが使っていますけど、よくよく考えると、ひとの体にダイレクトに働きかける、オーダーメイドの装置ともいえるわけです。そう考えると、「本」というのは、そういうやばいものを集めた装置なのです。なんせ、一冊の本のなかに何万字も入っています。たった一言でもやばいのに、そんなにたくさんの文章が収められているものを、普通に人びとが手にとって読んでいることのやばさ。

だからこそ、昔からひとは本を通じて社会を変えようとしてきたし、国や社会が、この本を出してはいけないと禁止することもありました。たった一冊で、国家のような大きなものが転覆してしまう可能性がある。そういう恐怖感を持つくらい、本というもの、言葉というものは強い装置なのだということです。

ただ、言葉というのは一度勉強して覚えさえすれば手軽に発することができますが、一方で受け取るのにはとても負荷がかかる。とくに難しい本や長い文章は読むのが大変です。映画だったら二時間もあれば見終えられて、音楽だったら数分、漫画だって絵を追いかけていたらすぐ読めるかもしれない。でも、小説や詩の本というのは全然そんなことがなくて、ハードルが高い。しかも、文章だけ見せられたときに、そこに何があるかわからないですよね。わかるためには自分から集中して読みにいかないといけません。その点で、いま小説や詩は時代遅れといわれるような状況です。

でもその上で、ぼくは、そこに逆に価値があるのではないかと思っています。日々ふと帰り、また戻ってくる場所としての本。どれだけ忙しくても本を開けば、自分らしい考えや時間がその都度あたらしく発見される。そういう場所として、小説や詩が使えるんじゃないかと考えています。

「自分ひとりの部屋」

では、そういう場所を自分なりに手作りするには、どんなやり方があるでしょうか。

百年前の作家で、ヴァージニア・ウルフ▼というひとがいます。イギリスの作家で、すごく面白い小説を書きました。そのひとが『自分ひとりの部屋』というエッセイを書いています。一言で要約すると、「女性が小説を書こうと思うなら、お金と自分ひとりの部屋を持たねばならない」という話。これはフェミニズムの思想にとって非常に重要な議論とされています。当時、文学史のなかで、男性ばかりが偉い作家としてカウントされていて、女性の偉い作家は全然いない、といわれていました。それは女性が優れていないのではなくて、女性が書く環境を持っていなかったからだ、という指摘です。作品だけを見ても、その視点が抜け落ちてしまうのです。

ウルフがいったことを少し拡大していくと、ぼくは「よりよく生きる」ということと「よい表現をする」ということをつなげる方法として、「自分だけの部屋」が必要だということをいっているとも思います。

そこでいう「部屋」は、ウルフのいう通り、第一には物理的な場所や時間としてあるでしょう。ただそれだけではなく、小説や詩や本というのも、自分だけの部屋としてあるんじゃないか、とぼくは考えています。

自分だけの部屋とはなんでしょうか。たとえば、ここにいるみなさんひとりひとりに同じ一室が与えられるとします。同じ間取りでも、皆それぞれに暮らしていくうちに、家具も変われば、汚れ方も違ってきます。当たり前の話ですが、同じマンションの同じ間取りの部屋でも、住んでいるひとによって全然違

▼**ヴァージニア・ウルフ**
イギリスの小説家。一八八二年生まれ。作家・芸術家・批評家のサークル「ブルームズベリー・グループ」に加わり、一九一五年、第一長篇『船出』を発表。代表作に『ダロウェイ夫人』『燈台へ』『波』など。『自分ひとりの部屋』は一九二八年、ケンブリッジ大学の女子学生に向けた講演をもとに書かれた、フェミニズム批評の古典。一九四一年、『幕間』の完成原稿を残して入水自殺。

う部屋になりますよね。「わたしの部屋」になってしまえば、遠い場所で辛い経験があっても、その部屋に帰ればいつもの生活に戻れる。部屋は、「いつものわたし」に戻してくれるものとしてあります。

同じように、自分の書いた文章や表現というのも、「わたし」に引き戻してくれるものだと思うのです。好きな風景を見て、文章を書いてきてくださいといえば、みなそれぞれの書き方をするでしょう。何を書くか、対象も変わるし、どう書くかも変わる。文章というのは、直接書いていること以上に、どうしようもなくその瞬間の自分がにじみ出てしまうものなのです。

生活のなかで辛いことがあったりしても、部屋や自分の文章がいつものわたしに戻してくれる。ただし、これは裏を返せば、「いつものわたしにさせられてしまう」ということでもあります。良くも悪くも、文章を書くことは、ほかの自分になれないということと向き合うことになります。

「わたし」に尽くすために

一方で、いざ何かを書こうとすると、案外うまく表現できなかったりもするでしょう。自分の部屋も、もっと素敵にしたいのにいつまで経ってもしっくりこないとか。文章でも、今日一日思ったことを書こうとして、全然うまく言葉にできなかったり、自分の実感と違ったり、ということはよくあると思います。

そもそも、ひとは思ってもいないことも書けます。嘘も書けるという点で、言葉と自分には微妙な距離感があるのです。

うまく書けないとき、ひとの文章を見ることによって、自分なりの文章をつくるとっかかりができることもあります。ぼくの場合は、高校生のころにフランスのル・クレジオ▼というノーベル賞作家の『調書』という作品を偶然読んで、文章でこんな表現ができるのかと衝撃を受けました。と同時に、なぜこれが自分にとって衝撃的なのか、そもそも、なぜこの文章が世の中に存在しているのかもわかりませんでした。

三ヶ月くらい、その本を読んでずっと真似して文章を書きました。そうしているうちに、だんだん世界の見え方が変わって、自分自身の認識すらも変わってきたのです。

言語表現に限らず、これで自分を表現できたらどんなにいいだろう、と思える方法を見つけるため、昔のひとの作品を見たり聴いたり、友だちの話を聞いてみたりすること。それをもとにして自分で何かをつくってみるのは大事なことだと思います。

それは、社会や業界や文学史の価値のためではなく、純粋に「わたし」に尽くすためにやることです。社会のためにやろうと思っていてはたどり着けないような、他者への貢献の仕方というものもあるわけです。表現において、自己満足だからこそ、ひとのためにもなるというポイントは、絶対にあると思います。

▼ジャン＝マリ・ギュスターヴ・ル・クレジオ
フランスの小説家。一九四〇年生まれ。一九六三年、デビュー作『調書』でルノドー賞を受賞。次々と話題作を発表するかたわら、文学評論や、コロンブス以前のメキシコに関する民俗学的な著作も刊行している。二〇〇八年、ノーベル文学賞受賞。

「孤独のままでつながること」

大森靖子▼という歌手がよく「孤独を孤立させない」ということをいいます。ぼくも、孤独をなくすのではなく、孤独のままつながり合うために、どうするかを考えています。また、詩人であり思想家の吉本隆明▼は、「じぶん自身を啓蒙するのは、自分固有の言葉でなくてはならない」という言葉を残しています。ひとから何かをいわれて印象に残ったり影響を受けたりということもあるけれど、自分が自分にとって「こうあるべきなんだ」と信じる状態に持っていくには、結局はひとからの言葉ではなく、自分なりにつくった自分だけの言葉でないといけない、少なくともそうした自分だけの言葉が使えているという奇妙な確信が伴わないといけない、ということです。

どんなひとにも「わたし」というものがあって、死ぬまでそれで生きていくしかありません。孤独のままで、それでもひとと関わっていこうとする。それがどういうことなのか、表現の側から迫っていくための方法が、芸術だったり文学だったりするのだと思います。

ここまで「部屋」と呼んできたものを、ぼくは最近、手作りするというところに重きを置くため「アトリエ」と呼んでいます。アトリエは、工房のような、何かを作る場所ですね。自分にとって、そういうところがあるだけで生き方が

▼大森靖子
シンガーソングライター。愛媛県生まれ。美大在学中に音楽活動を開始し、二〇一四年にメジャーデビュー。自身の音楽活動はもとより、執筆・楽曲提供、プロデューサーとしても幅広く活動。唯一無二の歌詞にも定評があり、エッセイなど文筆活動も行う。詩人の最果タヒとの共著『かけがえのないマグマ』がある。

▼吉本隆明
詩人、文芸批評家、思想家。一九二四年、東京都生まれ。日本の戦後思想に大きな影響をあたえ、文学や芸術のみならず、政治、経済、国家、宗教、家族、大衆文化に至るまでを論じ、「戦後思想界の巨人」と呼ばれた。『言語にとって美とはなにかⅠ・Ⅱ』『共同幻想論』など著書多数。二〇一二年歿。

変わってくるし、支えにもなります。ひとの言葉や表現を受け取るときも、感覚が変わってきます。ひとつひとつの表現も、誰かの生きた証しとして受け止めることができるようになる。そうしてこの「わたし」の生を支える、個人的なアトリエを手作りし続けることが、生きることだと思うのです。

いぬのせなか座を立ち上げたとき、発端として友だちが亡くなってしまったといいました。ひとは急に死んでしまう。死にたいと急に思ったり、それに抵抗できなかったりもするわけです。でも、ぼくはそれに抵抗していきたい。

そのための方法として文学というものは使えるし、同じような目線でいれば、芸術表現や世の中の学問、知識や芸術もすべて、自分にとって大事なものとして見えてきます。いずれ自分が死んでしまっても、その方法は作品を通じて残り、別のひとにも伝わっていきます。その地点から、詩や小説を書きつづけていきたいと思っています。

Q&A

――自分のやりたいことでお金を稼いで仕事をする場合、他者の評価も必要になるかと思います。自分がいいと思うことが評価されなかったり、逆に自分がよくないと思うものが評価されたりすることに、どう向き合っていけばいいでしょうか?

ぼくもそのことにずっと悩みながら活動をしてきました。高校生のころ、小説を書いても「難しいね」といわれて終わるとか、たまに面白いといってくれるひとがいても、社会全体がすごいといってくれるわけではなかったからです。でも、自分が大事だと思うものをどのように続けていくかを考えたとき、本を作ったり、グループで何かやったり、という選択肢が出てきました。

それでわかったのは、他人の評価って、案外ゆるくて、そのときそのときの流れで変わっていったりするということです。評価軸自体、じつはひとがつくっているので、自分もつくることができるし、それをひとに向けて発したりすることもできる。そのために、自分はいいと思うけれど、世の中には理解されないだろうというものを、どうにか言葉にしてひとに伝えていくことが大切です。「本」という形にして流通させてみると、案外いいというひとがいたりすることがわかってきたりもします。

今日はものを書いたりつくる話をしましたが、それだけでなく、大事だと思う作品をどう大事だと思うかを言語化したり、その表現を受け取りやすい環境をつくってみたりすると、だんだんそれが、支流までとはいかずとも、「こういう価値観もあるんだ」とわかってもらえるようになったりします。なにをつくるかだけでなく、それをどのように受け止めるべきかという評価軸もひとに共有していく、その両輪が必要です。いまは大きい出版社や事務所が評価してくれるからＯＫ、という時代ではない。アーティストが評価軸も含めて関わっていくのが大事になってきていると思います。

ただその上でですが、自分の価値観に絶対こだわるべきという話ではないということもまた、重要なのです。ほかのひととの話し合いや関係性のなかで、自分の信じるものや価値観が変わっていったりすることもあるでしょう。そのとき自分が変わったということにきちんと気づくこと、ごまかさないこと、そしてそれが自分や社会にとってどういう意味をもつのかについてその都度しっかり考えること。その先にこそ、自分の表現をより良いものにしていく努力と、社会の価値観に対する積極的な働きかけが、重なってくる地点があります。

わたしの思い出の授業、思い出の先生

Q1：思い出の授業を教えてください

中学一年生のころ受けた佐藤昭子先生による国語の授業です。

Q2：なぜ記憶に残っているのですか？

一年かけて井上靖の小説『しろばんば』を細かく読んでいくものでした。そんなふうに本を読んだのは生まれて初めてでした。

Q3：その授業は人生を変えましたか？

その後、十四歳でアニメ『新世紀エヴァンゲリオン』に熱中し、宇宙工学を志望していたわたしは突然、作家志望に転向したのですが、一年間ずっと『エヴァ』を繰り返し観て関連書籍やサントラに触れ続け、何がここにあるのかと考え続けていたのも、その後『カラマーゾフの兄弟』や『調書』を何ヶ月もかけて読んでいたのも、振り返ればあの授業が下地を作ったと思えてなりません。たくさんの作品に触れることは大事だけれど、それ以上にひとつの作品、その背後にある「アトリエ」を時間をかけて自分なりに受け止め使用可能にしていく日々の積み重ねこそが生きる上でいっそう大切なのだというわたしの考えも、あの授業の延長線上にあるでしょう。いまでも当時読んでいた『しろばんば』が本棚にあります。

わたしの仕事をもっと知るための3冊

山本浩貴『新たな距離　言語表現を酷使する(ための)レイアウト』(フィルムアート社)
平倉圭『ゴダール的方法』(インスクリプト)
保坂和志『小説、世界の奏でる音楽』(中公文庫)

第5章

過去を通して人間を知る

過去にタイムスリップして

藤野裕子

過去を変えると現在や未来は変わるのでしょうか？　タイムマシンがないのだから、科学的には「わからない」というのがさしあたっての答えでしょう。でも、わたしの経験としては「ある意味、変わる」です。今日はその「ある意味」がどういう意味なのか、みなさんに実感してもらいたいと思っています。

わたしは明治から戦後にかけての日本史が専門で、とくに民衆史という分野を研究しています。教科書でもそうですが、歴史というと、社会的な地位や肩書きのある政治家たちばかりが取り上げられます。でも、当たり前ですが、当時もいまも生きているのは普通の、市井のひとたちが大多数ですよね。それなのに、市井のひとたちの考えや暮らしは教科書にほとんど載りません。民衆史とは、簡単にいえば、こういう教科書に名前の載らない「民衆」に焦点を当てて、教科書とは異なる歴史を書く試みだと思ってください。

その過程で、歴史研究者は毎日のように過去にタイムスリップしています。

ふじの・ゆうこ＝歴史学者。専門は日本近現代史・民衆史、ジェンダー・セクシュアリティ史。一九七六年生まれ。東京女子大学准教授などを経て、現在、早稲田大学教授。著書に『民衆暴力――一揆・暴動・虐殺の日本近代』『都市と暴動の民衆史　東京・1905–1923年』。共著に『震災・核災害の時代と歴史学』、『歴史学のアクチュアリティ』など。

昔に発行された、新聞、日記などを読みながら、このひとは何を考えたんだろう、と脳内でタイムスリップをしているわけですね。

日比谷焼打事件の真相

今日、みなさんにタイムスリップをしていただきたいのは、一九〇五年九月五日。日比谷焼打事件があった日です。写真を見ると、ひとが交番（派出所）に火をつけて燃やしています（**図1**）。

この事件が起こる原因になったのは、日露戦争▼です。教科書的な説明をすると、こうなります。大国ロシアとの戦争は日本の国力を超えたもので、戦争にかかる費用の多くは国債や英米からの外債でまかなわれました。国民の負担はすごく大きくなった。多数の成年男子が戦争に動員されるとともに、非常特別税▼も課せられました。しかし、このような大きな負担にもかかわらず、ポーツマス条約▼を締結しようとしたら、賠償金はなく、国民にとっては、まるで勝ったとは思えない内容だった。不満を持った国民が日比谷公園で講和反対の集会を開き、それがきっかけで暴動が起きた、というわけです。

この事件、「日比谷」とついていますが、じつは日比谷だったのはほんの一部なんです。日比谷公園の近くの内相官邸付近の派出所に放火したのを皮切り

▼図1

▼日露戦争
一九〇四年二月から一九〇五年九月まで、日本とロシアの間で起こった戦争。日清戦争以後、ロシアは旅順に鉄道を建設するなど、朝鮮での影響を強めた。このロシアの南下政策を警戒した日本は、ロシアとの国交断絶と開戦を決定した。

に、現在の港区、江東区、日本橋・神田のあたりまで、東京中に放火が広がっていったのです。約二日間で、東京の交番の多くが焼かれてしまった。また交番だけでなく、路面電車やキリスト教の教会も放火されました（**図2**）。

この事件の特徴のひとつは、このように民衆たちの暴力行為が一箇所にとどまらず、区を越えて続いていったこと。もうひとつの特徴は、焼き打ちが広がっていくにつれて、日比谷の集会にいなかったひとたちも加わっていったということです。同じメンバーで最初から最後まで東京中を練り歩いたわけではないということですね。焼き打ちが起こると、それを見に行った近隣のひとたちが暴動の理由もわからずに参加する。そして、だいたい隣の区ぐらいまで歩いて行ったらやめる。それが繰り返され、焼き打ちが続いていきました。逮捕されたひとの行動を判決文で確認することで、そうした事実がわかってきたのです。

「一九〇五年へタイムスリップ」

東京でこんなことが起こるなんて、いまの感覚では考えられないのではないでしょうか。現代だったら、目の前で交番に火をつけているひとがいても、そこに加わろうと思うひとはきっと少ないでしょう。

でも、過去に起きた出来事について考えるとき、現在の自分の感覚のまま考えてみてもわかりません。もちろん、物理的にタイムスリップすることはでき

▼非常特別税
日露戦争では日清戦争の八倍以上もの軍事費を必要としたため、一九〇四年と〇五年に二回にわたる増税が行われた。地租や営業税・所得税・酒税など、税目ごとに増税分が決められた。

▼ポーツマス条約
一九〇五年八月十日からアメリカのポーツマスで会議が開かれ、九月五日に調印された、日露戦争の講和条約。日本への南樺太の譲渡、日本の韓国における軍事・経済上の利益の承認などが定められた。

▼図2

ません。でも、当時のひとたちの目線で物事を考えてみることはできます。そしてもう一度現在に戻って、この社会を見つめなおしてみることが重要です。タイムスリップするためには、まず、いまの自分がもっている価値観や規範を一旦脇に置いてみる。完全になくすことはできないのですが、判断しようとしている自分を一度脇に置いて、過去のひとたちのことを理解しようとしてみる。そして、文献、本、新聞など、過去を知るための手がかりとなる同時代の資料から、できる限りその時代・場所を復元します。これが歴史学の作業です。

以上をふまえて、日比谷焼打事件の参加者はどんなことを考えて暴動に加わったのか、この時代にタイムスリップしてみましょう。

まず、火をつけたひとたちはどんなひとたちだったのか。じつは逮捕されて裁判にかけられたひとたちを見てみると、一定の傾向がありました。年齢は十五歳から二十五歳までが六割ぐらいで、三十歳まで入れると八割ぐらいにのぼりました。そして、裁判にかけられているのは全員男性です。職業は、工場労働者、職人、日雇い労働者、人力車夫などで、つまり労働者のひとたちでした。一方、会社員や学生は少数です。

このひとたちがどういう立場にあったかというと、選挙権をもたないひとたちだったことがわかります。当時の衆議院議員選挙法▼で選挙権が与えられていたのは、直接国税を十円以上納める二十五歳以上の男子で、これは全人口の約二％。焼打事件の参加者の大半は、年齢的な理由と所得や財産上の理由から選

▼**衆議院議員選挙法**
一八八九年に大日本帝国憲法とともに公布された選挙法。帝国議会は衆議院・貴族院に分けれており、本選挙法は衆議院の選挙権・被選挙権、選挙区などを定めている。一九〇〇年に改正され、納税資格が引き下げられた。

挙権をもたないひとたちでした。ここから、国の政治に対して不満があったとしても、選挙によってそれを政治に反映させることができないひとたちが起こした暴動であったということが浮かび上がってきます。

もう少し解像度をあげてみましょう。当時の労働者たちはどのような生活をしていたのか。教科書には次のような記述があります。

十九世紀の半ばから、日本の人口は急増しました。そうすると、耕す土地を持てない貧農の次男・三男は土地を継げないから東京や大阪などの大都市に出てくるようになります。流入した若いひとたちは主に日雇い労働者や人力車夫・職人になりました。都市の下層社会を形成し、その居住地域はスラム、貧民窟といわれました。

労働者たちの「男らしさ」

でも、労働者たちは、お金もなく、ただ苦しいと思いながら生きていたかというと、実情は少し違います。

やや時代はくだるのですが、一九二二年に「自由労働者に関する調査」▼という日雇い労働者に対するアンケート調査が実施されました。そのなかの「将来の希望事項」という項目を見ると、十五歳から二十五歳のひとたちが一番なりたいのは「商業家」だったそうです。商業家というのは、つまり店を構えること、自営業者になること。他にも会社員、政治家、官僚になりたいという回答もあります。いまの自分とは違う存在になりたいと思っているひとたちがたくさんいて、大きな野望をもって生きていた。

そんな下層社会の様子がわかるような潜入記事や本がこの時期にたくさん書かれています。拙著『民衆暴力』▼でも引用しましたが、たとえば、こんな記述があります。


浮浪労働者の仕事というものは、常に体力を使用するだけに、彼等の仲間の話というものは、寄ると触ると力自慢の話になる。彼等の前には金銭も権勢も認められない。只腕力さえあれば事が足りるのだ。

（小川二郎『どん底社会』一九一九年）


労働者たちはお金も権力もほしいはずだった。けれども、仕事場ではそういうものは必要ないといい、自分の腕力をアピールしながら生きていたことがわかります。

ほかにも、日雇い労働者たちは金と暇がある限り博打を打っていたとも書かれています。金がないなら博打なんかしないほうがいいではないか、というのは現代の一般的な感覚ですが、彼らは金がないから、失うものがないから、一発逆転に賭けるのだといいます。

▼自由労働者に関する調査 東京市が一九二二年に行った調査（二三年に刊行）。ここでの「自由労働者」は日雇い労働者をさしている。この調査では、自由労働者の定義や史的外観などを含む総説からはじまり、第二編では労働状態が、第三編では生活状態が調査されている。

▼『民衆暴力――一揆・暴動・虐殺の日本近代』 民衆暴力を通して、国家の権力や統治のあり方を考察した一冊。新政反対一揆、秩父事件、日比谷焼打事件、関東大震災時の朝鮮人虐殺という四つの出来事を軸に、近代化以降の日本の一側面が描かれる。藤野裕子著、中公新書、二〇二〇年刊行。

ここから見えてくるのは、労働者たちの世界では「男らしい」ことに価値があったということです。たとえば、お金も社会的地位も学歴もなくても、腕力さえあれば、労働者の世界では一目置かれる存在になります。博打も、失うものを恐れない豪胆さが評価された。同時に彼らは義侠心を重んじました。義侠心とは、弱きを助け強きを挫くということです。そういう姿勢も「男らしさ」のひとつだったのです。

このように労働者たちは、自分の立場を悲観的に捉えていただけでなく、学歴・金・権力とは異なる価値観をつくり、誇りをもちながら主体的に生きようとするエネルギーをもっていた。それと同時に、自分の野望がかなわない不満もくすぶらせていた。ルポルタージュを書いたある著者は、こうした彼らのエネルギーを認めつつ、欠如しているのは団結して立ち向かう力だと分析しています。労働者が抱えている「なにくそ、ふざけんな」というマグマのようなものが噴出されずに眠っていることを見抜いたのですね。

そのマグマが噴出したのが、日比谷焼打事件でした。最初は警察との揉み合いだったのですが、日頃から警察に取り締まりを受けて鬱憤を抱えていた労働者たちが火をつけ始めた。それがきっかけになって、同じようにマグマを抱えていたひとたちが、放火の理由はわからずともそこに参加していった。

現代のわたしたちの多くは、お金がないのに博打をするのがかっこいいという価値観を共有してはいないでしょう。

それでも、当時の文献を読んでみると、どうして日比谷焼打事件が起こったのかが少しだけ理解できるようになるのではないでしょうか。

過去へと旅する歴史学

では、ここでもう一度現代に戻ると、さらに何が見えてくるでしょうか。

まず、政治・社会が随分変わったことがわかるかもしれませんね。現在、肉体労働よりもホワイトカラーの仕事が多くなりました。参政権も、いまは十八歳から、所得・財産の条件がなく男女ともにもてます。

一方で、共通点もあります。貧富の差や学歴の差など、一九〇五年のひとたちが不満を持つ構造自体は、じつは変わってなかったりするんですよね。大学に行けるか行けないかで人生が変わってしまう社会のあり方は、いまもあり続けています。全体として国は裕福になったかもしれないけど、それでも格差は広がっているともいえます。

そのように見ると、「交番を焼くなんて野蛮だ、自分には理解できない」と思っていたひとたちと、わたしたちはもしかしたら似たような社会を生きているかもしれない、と気づくかもしれません。だとしたら、かつては暴動や放火というかたちで表れていた人びとの不満は、いまどこに表れているのだろうか。インターネット上で起こるヘイトスピーチは、その一端なのではないか。そんな問いも生まれるかもしれませんね。

過去の見え方が変わると現代の見え方が変わります。そして、これからわたしたちが向かっていくべき未来も少しずつ形を成していく。はじめにした「過去が変わると現在と未来は変わるのか？」という問いに、わたしは「ある意味、変わる」と答えましたが、それはこういう意味です。それが歴史を知ることの力だとわたしは思います。

歴史の教科書を読んで、単語や年号を覚えたりするだけでは、出来事の裏にあるストーリーはわかりません。日比谷焼打事件という暴動がありました、で終わり。でも、今日短い時間でもタイムスリップしてみてわかったように、単語や年号の奥には、みなさんと同じようにその時代を生きていた生身の人間がいます。悔しいとか楽しいとか、あいつ羨ましいなとか、そういう感情を持って生きていた。そういうひとたちが集まって、それぞれの時代が構成されてきたのです。そうした人びとの姿や時代を掘り起こすことが、歴史学という学問の醍醐味です。

Q&A

——先生が歴史学を志したきっかけを教えてください。

子どものころに小学館の『学習まんが　日本の歴史』という漫画のシリーズをよく読んでいました。縄文時代から二十世紀まで、全二十巻からなるシリーズです。それを繰り返し読んでいたのですが、毎回第十四巻を読むと泣いてしまっていたんです。

その巻は、「幕府の改革」という江戸時代に関する巻でした。そのなかの一つの章はフィクションなのですが、舞台は現在の長野県の上田市。そこで一揆が起こります。十一歳の勇吉くんという少年が、一揆のリーダーになる半平どんから「わしらの戦いぶりを、その目でしっかりと見とどけてもらいたい」といわれます。そうして勇吉くんは一揆のやり方を学んでいく。村人たちの要求は叶うのですが、半平どんはリーダーだったので打首になってしまう。そこでお話は終わるのですが、最後に後日談が書いてあって、「約五十年後、上田領でまたもや一揆が生じました。その指導者は、入奈良本村の勇吉という老人でした」とあるんです。これを読んだ瞬間にわたしは、もう絶対勇吉くんだと膝を折って泣いていました。

なぜ、この物語に惹きつけられたのかは説明できません。でも、大学になってからも、こういう民衆が蜂起するような出来事が好きでした。そこに生きていたひとの思想や感情にアプローチできるかもしれないというワクワク感が、いまもまだ研究する原動力となっています。

わたしの思い出の授業、思い出の先生

Q1：思い出の授業を教えてください

大学1年生の前期に受けた、深谷克己先生（日本近世史）の基礎演習です。

Q2：その授業が記憶に残っている理由はなんですか?

基礎演習とは名ばかりで、南部藩で起きた三閉伊一揆のリーダーの一人、三浦命助の獄中書簡をくずし字で読みました。入学したばかりで、くずし字はおろか、歴史史料にほとんど触れたことがなかったので、授業についていくのがやっとでした。けれども、勇吉くんの話が大好きでしたので、一揆のリーダーの書いたものを読むことに興奮しましたし、難しかったぶん、印象に残っています。

Q3：その授業は人生を変えましたか?

それはないです（笑）。人生を変えてくれたのは、授業よりも授業以外で自発的に読んだ本のほうでした。授業で勉強するだけでなく、長い夏休み・冬休みでたくさんの本を手に取ってほしいと思います。

わたしの仕事をもっと知るための3冊

藤野裕子『民衆暴力——一揆・暴動・虐殺の日本近代』（中公新書）
松沢裕作『生きづらい明治社会　不安と競争の時代』（岩波ジュニア新書）
成田龍一『大正デモクラシー』（岩波新書）

負の記憶を伝える芸術とは

ドイツと日本の作品から考える

香川檀

戦争をテーマにした公共芸術《パブリックアート》というと、みなさんはどんなものを思い浮かべますか？　自国の戦没者を追悼する、あるいは英霊たちを称える記念碑のようなものでしょうか。日本と同じく第二次世界大戦の敗戦国であるドイツでは、その歴史を後世に伝えるために、アーティストがさまざまなアプローチをしています。たとえば、ヒトラー率いるナチスが行った残虐な行為やホロコーストをテーマにした作品が、数多く作られているのです。いわば自分たちの国が行った「加害」の歴史を芸術として表現している。こういった作品は美術館に展示されるだけではなく、公的な場所や街なかのいたるところで見ることができ、歴史に思いを馳せたり、考えたりするきっかけとして、社会的な役割も担っています。

かがわ・まゆみ＝美術史学者。一九五四年生まれ。ロンドン大学ゴールドスミス校美術史・視覚文化論コース修士課程修了、ベルリン・フンボルト大学（文化・芸術学）、東京大学大学院総合文化研究科超域文化科学、表象文化論コース博士後期課程単位取得退学を経て武蔵大学人文学部教授。著書に『ダダの性と身体　エルンスト・グロス・ヘーヒ』、『想起のかたち　記憶アートの歴史意識』など。

「記念碑という記憶装置」

強制収容所解放後の一九五〇年代、ブーヘンヴァルト強制収容所▼の跡地に囚人たちが雄々しく立ち上がる姿の記念碑が作られました（**図1**）。しかし、これに対してホロコーストの生存者から批判の声が上がりました。「自分たちが経験したこととあまりに違う、わたしたちはあのように雄々しく戦って解放されたわけではない」と。出来事を英雄的に表現したことに対して、異和感が表明されたのです。このように、過去の出来事を具体的な像として表現することの限界が意識されるようになりました。

一九九〇年代に入ると、こういった従来の記念碑とは異なる作品が作られるようになります。ミシャ・ウルマン作▼「図書館」（**図2**）はナチスによる文化破壊を伝える作品ですが、これまでの記念碑のように台座の上にあるわけではなく、この作品は地下に設置されています。

一九三三年五月、ベルリンのベーベル広場でナチスにより二万冊以上もの本が焼かれました。「ドイツ精神に反する」というのがその理由です。「図書館」はこの広場の地下に一辺一五メートルほどの立方体を組み込み、そこに二万冊以上の本を収納できる空の本棚を設置した作品です。実際の出来事そのものを再現しているわけではありませんが、この作品を見るとナチスにより焼かれてしまった本が想起されます。都市の公共空間にあって過去の出来事を指し示す

▼ブーヘンヴァルト強制収容所
ドイツ国がテューリンゲン地方エッテルベルクの森の丘の麓に設置したブナの木の名を持つ強制収容所。一九三七年七月に設置される。一九四五年四月のアメリカ軍による解放を迎えるまで総計で二十三万三千八百人が囚人として送られ、そのうち五万五千人以上が死亡したと見られている。

という意味では記念碑という記憶装置の役割を担いながら、台座の上から「忘れるな」と命じるのではなく、歴史について考えるきっかけとなることに重きをおいたアートなのです。こうした傾向の公共芸術がやがて対抗記念碑と呼ばれるようになります。

ピーター・アイゼンマン▼作「虐殺されたヨーロッパ・ユダヤ人のための記念碑」（図3）も一種の対抗記念碑といえる作品です。ナチスによるホロコーストでは六百万人から六百五十万人ものユダヤ人が殺されました。ドイツ政府は東西ドイツ統一後、ベルリンの中央に位置するこの場所にホロコーストを忘れないための記念碑を作ることを決め、コンペで採用された作品がこの「虐殺されたヨーロッパ・ユダヤ人のための記念碑」です。

コンクリートブロックが二千七百個あまりも設置されたこの記念碑は、周辺のものほど丈が低く、奥のものほど高く作られています。設置場所の地面もでこぼこなうえに傾斜していて、奥に進めば進むほど高い石柱に囲まれ、先の見通しも悪く不安な気持ちにおそわれます。

この作品は鑑賞者一人ひとりがそのなかに入ることで、ユダヤ人の人びとが味わった先の見えない不安感を体ごと追体験する場所として構想されました。しかし他方では、なにも記載されていないコンクリートブロックに対して「長い年月が経ってしまえばなにを伝えようとしたものかわからなくなってしまう」との批判もありました。

▼図1　フリッツ・クレーマー「ブーヘンヴァルト強制収容所記念碑」（一九五二〜一九五八）

https://taz.de/Kritik-von-der-Gedenkstaette-Buchenwald/!5791768/

▼ミシャ・ウルマン
イスラエル出身の芸術家、彫刻家。一九三九年生まれ。

そこでこの作品の地下にホロコーストで亡くなられた方々の記録を伝えるために設けられた情報センターでは、「六百万人以上の犠牲者」という匿名性に埋もれてしまった人びとを個人として想起する試みがなされています。亡くなられた方々の名前を読み上げる部屋や、地図を使ってあるユダヤ人一家がたどった運命を追跡したものなど、一人ひとりの過去を垣間見ることができます。

「記憶の共同体をつくる」

グンター・デムニッヒの「躓きの石」（**図4**）もまた個人を取り戻すためのアートプロジェクトです。一〇センチメートル四方のコンクリート・ブロックに被せた真鍮に、犠牲者ひとりずつの名前、生年、強制搬送された日付、そして亡くなった場所を刻んだ「躓きの石」は、そのひとたちが強制収容所に連れて行かれる前、最後に住んでいた家の前の路上に設置されています。デムニッヒは「ユダヤ人はまるでベルトコンベアに乗せられるようにして殺されていった。その一人ひとりの名前を取り戻すために、住んでいた場所に彼らをかえすために、大量生産ではなくひとつずつ手作業で作っていく」といいます。

一九九二年から始まったこのプロジェクトは現在も続いていて、二〇二三年五月の時点で十万個もの「躓きの石」がヨーロッパ各国に設置されました。犠牲になった方々の情報は遺族やその街の住民から寄せられ、彼らがデム

▼図2　「図書館」（一九九三）

▼ピーター・アイゼンマン
建築家。一九三二年生まれ。アメリカ出身で、ニューヨーク・ファイブと呼ばれる五人の建築家のひとり。脱構築主義の建築家と知られ代表作に「House IV」（一九七一）などがある。

ニッヒに制作を依頼します。たったひとつの石を埋めるにも公的な場所ゆえに自治体の許可が必要になりますが、そういった許可取り付けも依頼した方が行います。また、地域の学校が授業の一環としてプロジェクトに参加することも多いそうです。ただ、どの街でも歓迎されるわけではなく、たとえばミュンヘン市はこのプロジェクトに批判的です。路上に設置する、つまり通行人が「踏む」ということは犠牲者への冒涜になるとの批判があったからです。

「躓きの石」は一見シンプルな作品ですが、「埋める」ためのさまざまな過程で生まれる遺族や地域住民との交流も含めて、その街の記憶の集合体を作っているといえるかもしれません。記憶とは自分が経験したことを思い出すだけではなく、自分が知らない過去に何があったのかを知り、それを次の世代につなげることもひとつの形だと思います。

ドイツで記憶を論じる礎となっている本に、モーリス・アルヴァックス▼の『集合的記憶』があります。彼はユダヤ人で戦前はパリのソルボンヌ大学で哲学・社会学の教授をしていましたが、フランスがナチスに占領された際にブーヘンヴァルト強制収容所に連行され、そこで命を落としました。

ホロコーストの犠牲者である彼が生前に書いた遺稿が『集合的記憶』です。アルヴァックスがこの本で強調しているのは、記憶は個人が所有するものだけではなく、家族や学校や職場といった集団レベルでの記憶も存在するということです。ドイツにおけるホロコーストや、日本でいえば広島、長崎への原爆投

▼図3「虐殺されたヨーロッパ・ユダヤ人のための記念碑」（二〇〇五）

▼グンター・デムニッヒ
美術家。一九四七年生まれ。西ドイツで生まれ東ドイツで育つ。大学で芸術を学んだ後、歴史的記念碑の建設や管理に従事。「躓きの石」プロジェクトは世界最大の記念碑といわれている。

下といった過去は集団的記憶として存在しています。彼はこの集団的記憶を支えるものとして、街路や建築といった物理的空間の重要性を説いています。

彼は「空間とは持続する現実である。もし過去が実際にわれわれを取り囲む物的環境によって保持されていなければ、過去を取り戻せるということは理解されないだろう」といいます。物理的にその記憶を想起させるようなものがなければ、時の経過とともに集合的記憶は失われてしまうということです。「躓きの石」を含め、集合的記憶を支えるアートが街中のいたるところに見られるヨーロッパは、日本と比べても歴史を保存していこうとする意思がとても強いのだと思います。

「原爆の記憶、日本の現代アート」

日本の街中ではこういった記念碑を見かけることはあまりありません。伝統的に考えても過去の出来事を公共芸術として表現することがないように思います。ヨーロッパと比較すると社会に対して現代アートが占めるステータスが異なることも関係しているでしょう。

しかし記念碑にこだわらずに見てみると、日本の美術や現代アートでも記憶を伝える作品がさまざまなアプローチで作られています。代表的な絵画として丸木夫妻▼の「原爆の図」という作品があります。原爆の被害をテーマに描かれ

▼図4 「躓きの石」

https://en.wikipedia.org/wiki/Stolperstein

▼モーリス・アルヴァックス
社会学者。一八七七年生まれ。デュルケム学派第二世代の中心的存在の一人として、社会階級論、記憶論、社会形態学、集合心理学など多岐にわたる領域で研究を行った。『集合的記憶』は彼の死後数十年を経て、学際的に再評価されている。一九四五年歿。

た連作で、七メートルほどの大きな屏風には原爆により苦しむ人びとの姿が等身大で描かれています。一九四〇年代末から描かれ始めた「原爆の図」は世界各地を巡回して原爆の悲惨さを人びとに訴えました。

広島出身の日本画家である丸木位里さんは、原爆が落ちたときは東京にいてその三日後に帰郷した広島で悲惨な光景を目の当たりにしました。位里さんはその後三十年あまり「原爆の図」を描き続けましたが、原爆が落ちたとき東京にいたこと、当事者ではない自分が犠牲者の苦しみを表現するのは正しいことなのか、画家としての倫理的な責任に葛藤していました。

丸木夫妻よりも後の世代の美術家で、原爆の記憶を異なる形で表現したひとに岡部昌生▼さんがいます。岡部さんはフロッタージュという技法を用いて、都市の記憶や痕跡を写しとった作品を発表されています。フロッタージュとは、でこぼこのある場所に紙を置き、その上から鉛筆やクレヨンなどの描画材でこすることで対象の凹凸や形状を写し取る技法です。

フロッタージュで写し取るのは意味のある文字や形よりむしろその場所の物質的な凹凸です。丸木夫妻のように実際にあった出来事を再現的に描くことは鑑賞者にとってある意味わかりやすく伝わりやすい表現ですが、岡部さんの作品は一見するだけでは意味を読み取ることが難しい作品です。この技法を岡部さんは一九七〇年代から試していました。

一九八〇年代後半に広島市現代美術館の開設準備室から「ヒロシマ」をテー

▼丸木夫妻
水墨画家・丸木位里（一九〇一〜一九九五）と油彩画家・丸木俊（一九一二〜二〇〇〇）。夫婦共同制作で「原爆の図」の制作に取り組み、三十年以上の歳月をかけて十五部の連作を完成させた。

▼岡部昌生
美術家。一九四二年生まれ。記憶や歴史の痕跡をテーマにしたフロッタージュ作品や土によるドローイングなど大がかりなプロジェクトで国際的に知られる。

マにした作品制作を依頼されます。北海道出身である彼は広島を知らない自分がヒロシマを表現することへの重さに葛藤されたそうですが、自身の戦争体験を振り返りこの制作を引き受けることにしました。

岡部さんの芸術活動の根幹には、生まれ故郷の北海道根室での忘れられない出来事が深く関わっています。昭和二〇年、当時三歳だった岡部さんは根室空襲に遭います。街は二日間にわたって焼け続け、岡部さんの家族は炎のなかを逃げ惑いました。その後根室を離れた岡部さんがひさしぶりに戻ってみると、自分たちがかつて住んでいた家の跡地には公園ができていて戦争の痕跡は何一つ残っていませんでした。物があることで記憶や思い出を想起させてくれる。しかし、それがなくなってしまうと思い出すことさえできない。被災や被害が激しかった場所であればあるほどそういった空間は消滅してしまう。

そのような思いから依頼を受け、いくつかの作品を手掛けた後にめぐり合ったのが廃駅、旧国鉄宇品《うじな》駅です。明治時代、日清戦争に向かう軍隊に物資や人員を輸送するために作られた宇品駅は、常に日本の戦争に関わってきた駅でした。爆心地から四、五キロ離れた宇品駅には原爆投下の日に数千人もの負傷者が運ばれ、臨時の救護所として使われたそうです。岡部さんはこの宇品駅が加害を象徴するとともに被害をも象徴する場所であり、ふたつのヒロシマを抱え込んでいることに注目し、線路も駅舎も撤去され唯一残されたプラットホーム縁を擦《す》り取ることを決めました。都市の開発によってやがて消えていくホーム縁石から戦争、原爆の記憶を写し取ろうとしたのです（図5）。近年では東日本大震災の記憶をテーマに、福島県で大津波により破壊された防波堤を写しとったり、フロッタージュだけではなくてその土地で取れた水と土を混ぜ合わせて紙に流すなどこれまでとはまた違う表現にも挑戦されています。

歴史的な資料や当事者の声に比べれば、アートができることは限られているかもしれません。ただ、アートには出来事そのものを伝えることとはまた違う、作品のコンセプトを通して忘れられそうになっている出来事を想起させる力があると思います。鑑賞をひとつのきっかけとして過去に目が向き、そしてその記憶を後世に伝えていきたいといったモチベーションがわいてくるのです。

Q&A

——アートにはアーティストの意思や意見が含まれるぶん、歴史的事実とは違う見え方になってしまうと思います。歴史的な記憶を伝えるアートの場合、アーティストの意思があまり入らない記録的な作品のほうがいいのか、それともアーティストの意思が入っていたとしても見る人びとの意識に訴えかける作品のほうが重要でしょうか?

作家のヴィジョンがどれだけ込められているかは、作品によってもかなり幅があると思います。たとえばデムニッヒの「躓きの石」は記録的な意味合いが強い作品です。逆にミシャ・ウルマンの「図書館」は作家のアイデアで作られ

▼図5 岡部昌生「旧広島宇品駅プラットホーム 1894/1945/2004」（二〇〇四）

港千尋編『岡部昌生 わたしたちの過去に、未来はあるのか The Dark Face of the Light』東京大学出版会、二〇〇七年より

たフィクションですよね。でもこの作品も歴史的な出来事を想起させる力を持った作品です。どちらの作品も重要だと思います。

写真家の石内都▼さんの代表作に、広島原爆で被災された方々の衣服を写真におさめた「ひろしま／hiroshima」（二〇〇七）があります。ある意味では記録的な作品だといえます。ただ、石内さんの撮り方や光の当て方を通すと、まるでその服を着ていたひとの身体がそこにあるかのように感じられます。これはアートでしかできないことです。作品をどう見せるかにはアーティストの技があり、そこにアートの力があるのだと思います。

▼**石内都**
写真家。一九四七年生まれ。「ひろしま」「フリーダ　愛と痛み」で国際的にも評価される。二〇一三年に紫綬褒章受章、二〇一四年にはハッセルブラッド国際写真賞を受賞。

わたしの思い出の授業、思い出の先生

わたしの通った高校は女子校でしたが、日本史を担当する男性の先生がいて、明治維新など近代の歴史を熱心に教えてくれました。ただ、大正時代くらいで授業が終わってしまい、「本当は昭和がだいじなんだけどなあ」と残念そうだったので、卒業した春休みに級友五人ほどと一緒にお願いして昭和史の特別授業を何回かしていただきました。いまでいう、歴史好きな「歴女」たちのグループがあったのですね。もちろん先生には、お小遣いを出しあって、ちゃんと謝礼を払いましたよ。誰もいない春休みの教室で、先生を囲んだ濃密な読書会のような雰囲気でした。テキストは家永三郎さんらの著書で、なぜ日本が日中戦争や太平洋戦争に突っ込んでいったかを、軍部や産業界の動向から解明するものでした。これが、ファシズムや戦争に興味をもつきっかけになり、大学に入ってドイツの近代史を、大学院ではドイツの芸術を専攻するきっかけになりました。

わたしの仕事をもっと知るための3冊

アンドレーア・シュタインガルト著、谷口健治ほか訳『ベルリン　「記憶の場所」を辿る旅』（昭和堂）
アン・ホワイトヘッド著、三村尚央訳『記憶をめぐる人文学』（彩流社）
香川檀『想起のかたち　記憶アートの歴史意識』（水声社）

三万八千年前の祖先たちはどうやって未来を切り拓いたのか

海部陽介

かいふ・ようすけ＝人類進化学者。東京大学総合研究博物館教授。原人からホモ・サピエンスに至る、二百万年のアジア人類史について研究。前職の国立科学博物館で「三万年前の航海徹底再現プロジェクト」を実施。二〇二〇年より現職。著書に『人間らしさとは何か』『サピエンス日本上陸』など。

「三万八千年前に始まった日本の人類史」

ぼくは、アジアに初めて原人がやってきた二百万年前から、人類がどのように進化して現在に至ったかを研究しています。インドネシアや東南アジアが主なフィールドで、現地の化石を探したりすることもあります。人間の祖先たちの遠い過去を調べることで「ぼくら人間とはなんだろう？」ということを考えようとしています。

今日は「日本の人類史が始まったときに起きていたすごいこと」について話をしたいと思います。縄文時代が始まったのが一万六千年前。さらにその二万年以上前である三万八千年前の旧石器時代に、日本の人類史が始まりました。人類史が始まったということは、日本列島に初めて人間がやってきて、人間の歴史が始まったということです。

このテーマの主役は、三万数千年前の旧石器人たちです。三万年前のひとと聞いて、みなさんはどういうイメージを浮かべますか？　原始人とか、ちょっと悪い言葉でいうと野蛮人とか。苦しい生活をおくっていたかわいそうなひとたちなのかな、とか。逆に、現代人みたいに擦れていなくて、ピュアな心をもっていただろうと想像するひともいるかもしれません。この講義が終わったとき、みなさんの思い描くこの祖先たちにイメージがどんなふうに変わるか、後で自分でも振り返ってみてください。

そして、今日の話で鍵になるのが、この一枚の写真（**図1**）です。ある場所からある方向を眺めた写真です。講義の最後になんの写真かわかりますから、覚えておいてくださいね。

さて、本題に入る前に少しだけ、人間がいかに不思議な存在かを伝えておきたいと思います。多くのみなさんがふだん気づいていない人間のとても不思議な一面——それは、地理的分布です。

この絵（**図2**）の黒色の箇所は、人間以外の霊長類、サルたちが暮らしている場所です。サルは現在五百種類ほどいますが、人間以外のそれら霊長類を全部合わせてみても、一部の地域にしか生息していません。世界中にいるわけではないんです。主に熱帯域の暖かいところ、そして森林があるところにいるのが霊長類です。

ところが、ぼくら人間は霊長類の仲間であるはずなのに、世界中に生息して

図1

撮影：海部陽介

います。よく考えてみると、世界中で繁殖している生き物って、人間以外に思い当たりませんよね。生き物はふつう、地理的に広がるにつれ自分たちでどんどん多様化して、違う種類に進化していくからです。それなのに、ぼくたちはそうなっておらず、ホモ・サピエンス▼という単一の種で世界中に存在している。じつはこれ、すごく不思議なことなんです。

この不思議な現象は最初から起こったわけではありませんでした。人類の祖先はアフリカで生まれたという話を聞いたことはないでしょうか？　裏を返せば、人類も誕生当初はアフリカにしかいなかったということです。過去七百万年という時間の中で、人類はアフリカから世界に広がったのですが、その大部分を急激に達成したのが、やはりアフリカで生まれたわたしたちホモ・サピエンスで、それは過去五万年間の出来事でした。

「海を越えてやってきた祖先たち」

アフリカから世界中へ広がったホモ・サピエンスの拡散の波が、三万八千年前に日本列島へやってきます。古い本には「初めて日本列島に人類がやってきたとき、列島は大陸とつながっていて、祖先たちは動物と追いかけながらそこを歩いてやってきた」と書いてありますが、いまではそれは間違いだとわかっています。当時の日本列島▼は、大陸から隔てられた島であり、四方を海が囲ん

図2

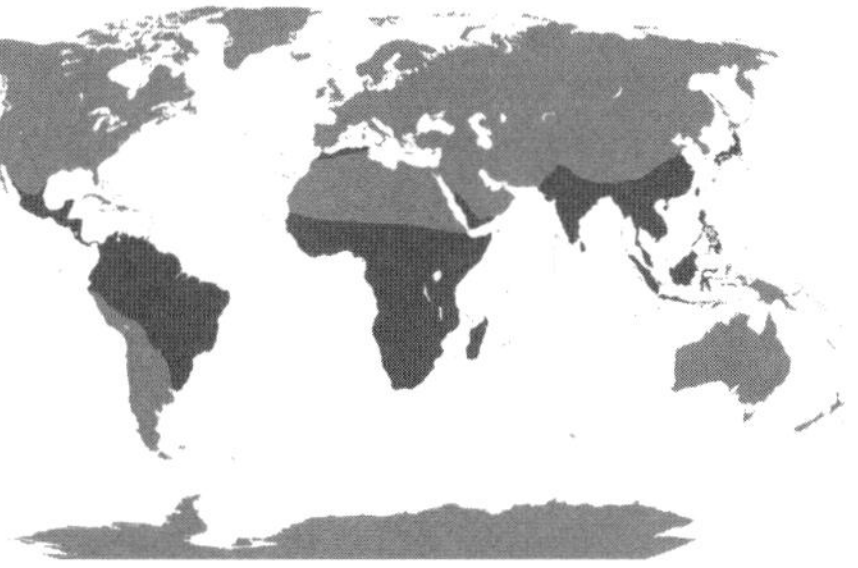

ネイピア・ネイピア（一九八七）『世界の霊長類』の図をもとに作成

▼ホモ・サピエンス
われわれ現生人類を意味する人類学上の学名。ヒト属で現存する唯一の種である。

でいました。

つまり、ほかの大陸から日本列島にやってくるには、絶対に「海を越える」必要があります。では、三万年以上前のひとたちは、どうやって海を越えたのでしょう？　いまの研究では「海を越えた」という事実しかわからないので、どうやって越えたのかまではわかりません。ぼくは、そこに興味をもちました。

とくに面白いのは沖縄です。なぜ面白いかというと、行くのがとても大変だからです。もちろんいまは飛行機で簡単に行けるけれど、急に「自力で沖縄の島に行ってください」といわれたら、みなさんどうしますか。難しいですよね。

この図（**図3**）は海から島が見える範囲を示しています。九州から沖縄までは、島があることを確認しながら渡ることができるのですが、たとえば台湾から船を出して与那国島に向かおうとしても、その航海の終盤までは島が一切見えません。なぜなら、地球が丸いからです。宮古島と沖縄島のあいだも、島にかなり近づかなければ島があることを目視で確認できないんです。

もうひとつの問題点は、黒潮▼です。黒潮は世界最大規模の海流で、スピードは秒速一メートルから二メートルです。秒速一メートルは、人間が歩くスピードと同じぐらいなので、秒速二メートルとなればその倍です。このスピードの流れが、幅数一〇キロから一〇〇キロにわたって流れています。しかも、海流は目に見えません。海の上にいて船が流されていても体感することができないのです。流されていることに初めて気がつくのは、目印になる陸などが見えた

▼当時の日本列島
三万年前、本州・四国・九州・沖縄は海に囲まれていたが、北海道は大陸と地続きだった。当時生息していた動物の化石から推測ができる。

図3

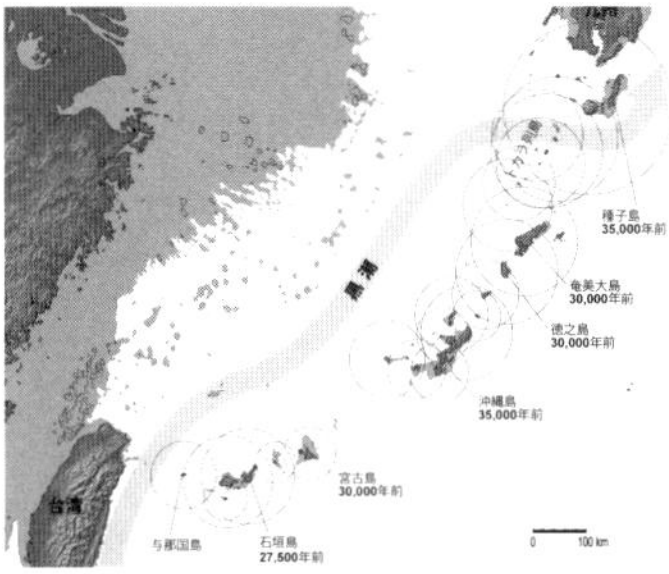

Kaifu, Y., 2022. World Archaeology 54,187–206　の図を改編

ときです。そんな巨大な海流を越えないとたどり着けないわけです。

それなのに、沖縄島も含めて琉球列島の六つの島から、三万五千～三万年ほど前の遺跡が見つかっています。ただ、それより古い遺跡はまだ見つかっていません。つまり、三万五千年前以降に突然、この列島中に人間が現れたらしいのです。

偶然、この時期にひとがたくさん漂流してきたんでしょうか。それとも、海を渡る技術を習得して、計画的に渡ったひとたちがいたんでしょうか。

「実験航海プロジェクト」が始まった

ぼくは、三万年以上前の祖先たちがどうやって海を渡ったのか、どうしても知りたくなりました。でも、部屋のなかで考えているだけでは答えが出ないので、実際にやってみることにしました。当時の船を再現して自分たちで海を越えてみたら、どんなに大変だったかわかるだろうと思ったのです。

二〇一三年にチームをつくってみたものの、実施するためには莫大な資金が必要でした。そこで、クラウドファンディングを行い、合計六千万円をみなさんから支援いただいて、「実験航海」というプロジェクトを始めました。ぼくたちはこれを「徹底再現プロジェクト」と呼んでいます。なぜ完全再現ではないかというと、当時のことがすべてわかっているわけではないので、完全に再

▼**黒潮**
東シナ海を北上して九州と奄美大島の間のトカラ海峡から太平洋に入り、日本の南岸に沿って流れ、房総半島沖を東に流れる海流。流速は速いところでは毎秒二メートル以上、幅一〇〇キロメートルにも及び、輸送する水の量は毎秒五千万トンにも達する。

現することはできないからです。その代わり、徹底的に研究してベストモデルを再現しましょう、という意味合いでの「徹底再現」です。このプロジェクトでは、最終的に自分たちが実際に航海をして、島へ渡ることを目指します。最終ゴールは、台湾から黒潮を越えた先にある与那国島に設定しました。

ところで、昔のひとはどうやって船を漕いだと思いますか？　自分たちで漕いだのか、あるいは風を使ったのか。漕いで行くのは大変だから風を使ったに違いない、と思うひともいるかもしれませんが、それは間違っています。風を自在に操る帆走船の技術は、弥生時代や古墳時代でも未発達だったらしく、その前の縄文時代の舟にはまったく痕跡がないのです。不安定に吹く風を制御するには、帆を立てるだけでなく舟の構造を変えなければならず、高度な技術が必要になるんです。わたしたちのターゲットは縄文時代よりさらに前の旧石器時代ですので、人びとは基本的に漕ぐしかなかったはずです。

それから、黒潮が流れているなら、海流に乗って簡単に島にたどり着けるのではないか？という意見もあるかと思います。偶然漂流したパターンですね。この可能性についても海流の専門家とともに検証しましたが、流れに身を任せていると目的地である沖縄の島にはかすりもしないことがわかりました。

そして、いちばんの問題は、祖先たちがどの種類の舟で海を越えたのかわかっていないことでした。舟はおそらく植物素材でつくられたでしょうから、すぐに朽ちてしまい、数万年の遺跡に残っていた例はこれまで知られていません。

ただし、三万数千年前に現地にあったと想定できる材料や道具しか使えないわけですから、消去法である程度の予想をすることはできます。さらに、縄文時代には丸木舟があったことはわかっているため、その技術を超えてはいけません。これらの事実から、ぼくたちが航海しようとしている台湾や沖縄でつくることができるのは、草舟（草束舟）、竹舟（竹筏舟）、丸木舟の三種類に絞られました。

こうしてあらゆる研究をした末、いよいよ実験航海が始まります。

「難攻不落の黒潮越え」

ぼくたちはまず、草舟からテストしてみることにしました。ルートは、いきなり台湾から与那国島を目指すのは大変なので、まずは与那国島から西表島《いりおもてじま》を目指すことにしました。

しかし、草舟の実験はあっけなく失敗に終わってしまいます。

ぼくたちは出発するやいなや、どんどん流されて、八時間ほど漕いだ時点でリタイアしました。クラウドファンディングで多大な支援いただいたにもかかわらず、いきなり失敗で、さすがにその時は頭が真っ白になりました。草で行けるような気がしていたのがうまく行かず、旧石器時代の祖先たちがどうやって渡海に成功したのか「謎が深まった」と発言したのが、翌日の新聞の見出しになりました。

その後の分析で、失敗の原因が見えてきたのですが、それは黒潮の分流でした。本来、与那国島から西表島のルートに黒潮の本流は流れていないのですが、この日はちょうど黒潮の流れがすごく強くて、分流が入り込んでいたのです。ただ、黒潮の本流は秒速二メートルなのに対して、ぼくたちが経験した分流はせいぜい秒速一メートル程度。最終目標は黒潮の本流を越えることだったので、いまのままだとどう考えても厳しい。流されやすい草舟で海を越えるのは難しいだろうという結論になり、モデルを変えることにしました。

翌年から台湾に場所を移して、竹舟の実験を始めました。今回のテストでは、台湾本島から、その沖を流れる黒潮本流の中にに浮かぶ、緑島という島を目指します。島を直接目指したら黒潮に負けるのはわかっていますから、流されることを計算に入れて、最初に南に下ってから東に向かって漕ぐ作戦をとりました。ですが、結論からいうと、これもうまくいきませんでした。朝の四時から十四時間ほど漕ぎ続け、漕ぎ手たちは体力を使い果たしていました。にもかかわらず、黒潮の巨大な力に流されて、島にたどり着くことはできませんでした。日没を迎えて海上が暗くなってきた時点で、この挑戦は諦めました。海流は目に見えないといいましたが、このときぼくは初めて黒潮本流のパワーを見たような気がしました。それからも何度か失敗を重ね、最終的にぼくたちは竹舟モデルを断念します。

失敗を繰り返すこのプロジェクトに対し、悲観的なひとも出てきましたが、ぼくらは逆に経験を積んで前向きになっていました。祖先たちは成功しているんだから、必ずどこかに正解があるはずです。それを見つけるまで、諦めるつもりはありません。

とはいえ、もう残っている選択肢は丸木舟しかありません。つくるには、巨大な木を切ってくり抜かなければいけないのですが、そんなことが旧石器時代にできたんでしょうか？　じつは、旧石器時代の遺跡で、刃の部分だけを砥石で磨いてつくった石の斧が見つかっています。そんな道具が存在するなら、巨木を切ることができるかもしれません。そこで、当時の石斧を再現し、実際に木を切ってみたところ、直径が一メートルある杉を切るのに成功しました（ただし六日かかりましたが）。

「漕ぎ手たちが海から見た光景」

舟が無事完成したので、いよいよ台湾から与那国島を目指す最終目標へチャレンジすることになりました。男女五人が丸木舟に乗り込み、出発します。当然ですが、この実験は男だけでやってはいけません。冒険ではなくて移住ですから、男だけで行って渡海に成功しても、未来はありません！　必ず男と女が一緒に乗っていなければならないんです。

また、航海するあたり、たったひとつだけルールを決めました。「三万年前にできなかったことはしない」ことです。要するに、コンパス、GPS、スマホなどは使いません。代わりに、太陽・月・星などの天体、風、波、鳥など、あらゆる自然を読み取って方角を探ります。それから、事故がないように伴走船はついていますが、漕ぎ手である男女五人が別のひとに途中交代することはありません。

二〇一九年七月七日午後二時四十二分（日本時間）に、ぼくらは丸木舟で台湾を出港しました。このとき、風の状態が落ち着いておらず、ぼくは少し不安でした。

二時間ほど経って、その悪い予感が的中しました。漕ぎ手たちが海中に手を突っ込むと、だんだんと水の温度が温かくなってきたのを感じ、黒潮に入ったのだとわかりました。黒潮は暖流なので、水温が高いのです。ちょうどそのタイミングで、海が荒れ始めました。丸木舟は、スピードが速く丈夫なのですが、ぐらぐら揺れて不安定な上、水がたまりやすいという欠点があります。そのため、定期的に水をかき出さなければなりません。漕ぎ手たちはみなそれなりの実力者ですが、不安定な舟を荒れた海で前に進めるため、体力と神経を想定以上に使うこととなりました。

海は結局、夜中の十二時までずっと荒れていました。しかし、夜が明けると、なんとついにぼくらは黒潮を越えていたのです。難攻不落の海流を突破しましたが、じつは漕ぎ手たちはそのことを知りません（海流は見えないので）。さらにここから先は、わたしたちが数年間のトレーニングでも経験したことのない、未知の領域に突入します。

二日目になり、ついに陸が一切見えなくなりました。目標の与那国島はもちろん、出発した台湾も見えない。四方に海しかないという状況です。不安になりますよね。ほんとうはこの日のうちになんとか島を見つけたいと思っていたんですが、見つからないまま夜を迎えました。しかも、空が曇っていて星が見えません。星が見えないときに方角を測るには、波（うねり）を見ます。波が南東から来ていたので、それに対して四十五度の角度で進むと、東に向かっていることになります。何時間かはその方法で耐えて、星が見えた瞬間に方向を確認・修正しながら進んでいきました。

しかし日没後、ここまで丸二日休みなく漕ぎ続けていた漕ぎ手たちの体力が、ついに限界を迎えました。このときぼくは伴走船にいたんですけれど、キャプテンから「全員休みます」と連絡が入りました。なんでキャプテンが休むことを決断したと思いますか？　もちろん漕ぎ手がみんな疲労困憊だったのもありますが、あとから聞いた話では、このとき彼は遠くに光を見たんだそうです。三万年前には存在しない光なんだけれど、「きっと与那国島の灯台に違いない」と思って安心したのだそうです。でも、ほかにその光を見た漕ぎ手は誰もいませんでした。夜に入ったときには与那国島が見える範囲外にいましたから、その光が与那国島の灯台である可能性は絶対にありません。それが何の光だったのかはいまだにわかりませんが、とにかくキャプテンはその光を見て島が近いと判断し、漕ぐのをやめて全員休みました。

これは結果的に幸運な判断でした。なんとその時、島のほうに向かうゆるい流れが発生していて、丸木舟は漂流しながらゆっくり島に近づいていました。そして明け方五時ごろ、ぼくらはついに島を発見することができたのです。夜が明けたときに見た景色がこちら（**図4**）です。ぼくはこのプロジェクトをやってきた数年間、ずっとこの瞬間のことを思い描いてきました。舟を進めていった先の海上で、与那国島はどんなふうに見えるんだろうと、ありとあらゆる想像をしたけれど、現実はそのどれとも違いました。よく見てください。水平線に向かってある雲が、一部大きく乱れていますね。何かが下にあるんです。そう、島ですね。だから、島が見えなくてもそこにあるとわかるんです。これが、夜明けに見た光景でした。

なぜ命がけで海を越えたのか

最後に、最初にお見せした写真（**図1**）に戻りましょう。これは台湾の山で、与那国島が見えるポイントから撮影したものです。「台湾から舟を出しても与那国島は見えない」といいましたが、それは台湾の海岸からは見えないという

図4

撮影：海部陽介

ことで、実は山に登ると見える場所があるのです。

これは二〇一七年の夏に、ぼくがそれを確かめるために現地へ行って撮影した写真です。電気のないなかで四日間山ごもりして、毎日一〇〇キロ先の与那国島がある方向を眺め、三日目の夕方にようやく島を発見しました。雲のすき間に島影が、ほんとうに微かに。

本当に条件がよいときだけ、運がよければ、山の上から与那国島の存在を知ることができます。しかし海岸に降りてしまえば、見えなくなってしまう。いざ島に向かおうにも、海には見えない巨大な黒潮が流れていて、まっすぐ目指したら絶対にたどり着けない。しかも、航海に出れば、海の上では予想できないことがたくさん起こる。それらが、ぼくらが実験を通して理解したことです。

つまり、あの島へ行くにはよっぽどの覚悟と準備が必要なのですが、三万年以上前の男女たちは、なぜ命がけでそこを目指したのでしょう？　当人たちには直接聞けないので、わたしたちはそれを想像するしかありません。それでも、こうして祖先たちがいかに未来を切り拓こうとしたかを考えることは、面白いだけでなく、いまを生きる自分自身を見つめなおすよいきっかけになると、ぼくは思っています。

Q&A

――今日お話しいただいたことは理系分野でありながら、文系分野にも入る研究だと感じました。そこで、いわゆる文系と理系の壁をどう越えるかについて、お聞きしたいです。

面白い質問ですね。ぼくは進化に興味があって、理学部の生物学科を出ています。本当の専門は舟の考古学（文科系）ではなく、人骨化石の形態学的研究（理科系）なんです。

人間というのは生き物でもあり文化的存在でもあるわけですから、本来文系も理系もないんですよ。教育システムのなかで文系理系をつくったにすぎません。だから、ぼくはそういう分野の違いはあまり気にしていません。面白いと思ったら、分野が違ってもやります。できないことはひとにお願いをして、共同チームをつくればできます。

ただ、研究者として、自分の専門分野をきちんと突き詰める必要はあります。専門分野で自分の研究を確立させていないと、ひとは信用してくれないからです。ぼくの場合も、化石形態学の研究でそれなりに評価してもらっているので、突拍子もないことをやっても認めてもらえるんです。だからみなさんも社会に出たときには、視野を広く持ちながらも、まずそれぞれの専門性を突き詰めて頑張ってほしいですね。その先に自由がありますから。

わたしの思い出の授業、思い出の先生

Q1：思い出の授業を教えてください

やはり大学のいくつかの授業が記憶に残っています。自分が選んだ専門分野の講義が面白いのはある意味当然ですが、それ以外の周辺分野の授業にたくさんの発見と刺激がありました。学問は一つの専門分野で成り立っているのではなく、広い視野を持っていたほうが各段に面白いということに気づきました。

Q2：その授業が記憶に残っている理由はなんですか？

たとえばですが、授業の合間の雑談で、先生が「これが面白いんだ」と、海外の専門家の間で話題になっている論文を教えてくれることがありました。それは世界最先端の動向や発想を含むものだったので、とても刺激的でした。

Q3：その授業は人生を変えましたか？

多分、全ての授業から何らかの影響を受けているので、一つが全てを変えたということはありません。自分は、たいていどの授業もまじめに聞き、先生に質問をし、時間内でできるだけ多くを吸収したいという姿勢で取り組んでいましたが、そうしてきてよかったと思っています。一方、授業で学んだことが本当に身につくのは、その内容を自分が説明できるようになったときだとも思います。だから授業を受けて終わりだとは考えていません。

わたしの仕事をもっと知るための3冊

海部陽介『サピエンス日本上陸　3万年前の大航海』（講談社）

海部陽介『人間らしさとは何か　生きる意味をさぐる人類学講義』（河出新書）

川端裕人（海部陽介監修）『我々はなぜ我々だけなのか　アジアから消えた多様な「人類」たち』（講談社）

第6章

他者とつながる

イデオロギーと心の病気

松本卓也

まつもと・たくや＝精神科医。一九八三年生まれ。京都大学大学院人間・環境学研究科及び総合人間学部准教授。著書に『人はみな妄想する　ジャック・ラカンと鑑別診断の思想』『創造と狂気の歴史　プラトンからドゥルーズまで』『心の病気ってなんだろう?』など。訳書に『ハンズ　手の精神史』（共訳）がある。

イデオロギーは崩壊する

中学時代の思い出話からしようと思います。ぼくが通うことになったのは、比較的自由な雰囲気の中高一貫校でした。入学してすぐに興味を持ったのは、部活動です。掲示板には、生徒たちが自作したいろいろな部活のチラシが貼ってありました。そのなかに、何部なのかわからない〝変なチラシ〟があったんです。真っ黒の大きな紙の真んなかに白い文字で、〈イデオロギーは崩壊する〉とだけ書いてある。まじまじと見つめましたが、部活の名前も書かれていない。それに、そもそもイデオロギーってなんだ？　しかも、それが崩壊するってどういうことだ?と、たくさんの疑問が浮かびました。結局いまでもそれが何部のものだったのかは判明していませんが、当時のぼくは、とにかくそのチラシの言葉にとてつもなく惹かれました。そんなわけで、入学するやいなや、図書室にイデオロギーという言葉を調べに行きました。ここからぼくの青春が始まります。

では、イデオロギーとは何か。複数の意味がある言葉ですが、端的にいうと「われわれが常識だと思っているものの考え方」のことです。たとえば、「学校にはきちんと通学するものだ」とか「大学を卒業したら就職して働くものだ」とか「結婚して家庭をもつのが当たり前だ」とか。このような、社会で共有されている「当たり前」から外れることは、基本的には良しとされません。

イデオロギーについて考えるということは、その「当たり前」を問い直すことから始まります。みんなが正しいと考えることだけが本当に正しいのか。そこには疑いの余地があるのではないか。ではなぜ正しいと思い込まされているのか。一体どんな力が働いているのか……。〈イデオロギーは崩壊する〉という言葉が示唆するのは、イデオロギー、つまりは常識を「当たり前としない」考え方もこの世には存在している、ということです。

この言葉に触発されたことがきっかけで、その後は紆余曲折を経て、精神科医の道に進みました。

「逸脱」から「精神疾患」へ

ぼくの専門は「心の病気」ですが、この分野にも強固なイデオロギーがあります。精神疾患には「なりたくない」ひとがほとんどなのではないでしょうか。

そして「もしなってしまったら早く治したい」。また「身近なひとがなったら支えたい」。けれども「見ず知らずの精神疾患のひととは、正直あまり関わりたくない」。最後の考え方は明確な差別ではありますが、「当たり前に」共有されている一般的な価値観かもしれません。心の病気について考える際には、このような前提を疑い、それ以外の考え方ができないかどうか検討していくことが大切です。

先ほどから「精神疾患」と繰り返してきましたが、じつはそれらが「病気」や「疾患」として捉えられるようになったのは、結構最近のことです。医学は紀元前から存在するにもかかわらず、精神医学の歴史はせいぜい二、三〇〇年ほどしかありません。なぜかといえば、いままであれば病気だと診断されるようなひとは、かつては「ちょっとズレている変わったひと」程度に思われていたからです。要するに、「逸脱」の範疇だったわけですね。ですから、そういったひとたちの面倒を見たり、いまでいう入院に近い対応をしたりしていたのは、中世においては、病院ではなく修道院等でした。日本であれば、お寺や神社、あるいはその周辺の茶屋がそれに該当します。

そしてフランス革命以前にかけては、「一般施療院」が台頭しました。この施設には、病人に限らず、浮浪者や犯罪者など、広義の「逸脱者」が一緒くたに収容されていました。

次いでフランス革命以降、近代になってからやっと精神医学という学問が誕生します。それにより、単なる「逸脱」だったものが「病気」や「患者」という概念に集約されていき、治療施設としての精神病院ができあがります。ただし、その環境はひどいものでした。患者は鎖につながれており、治療も十分にはなされていませんでした。

そこで、フランスの精神科医であるフィリップ・ピネル▼が、ビセートルやサルペトリエールの病院で鎖につながれていた人びとを、一七七三年から七五年にかけて「解放」していきます。ピネルの改革は、精神医学界に「人道的な」治療をもたらしました。病院内を自由に歩き回れるようになった患者は、ほかの患者や医師たちとコミュニケーションをとるようになります。すると、患者の考えていることが明らかになり、病気のことがわかるようになり、治療法や精神疾患の分類が次第に発展していきました。

▼**フィリップ・ピネル**
フランスの精神科医。一七四五年生まれ。精神医学界におけるこの革命的な「解放」に関して、ピネルたった一人による業績ではないという見方もある。一八二六年歿。

「鎖からの解放＝良いこと？」

「人道的な」治療を開始し、精神医学を発展に導いた〝功績〟から、しばしば「近代精神医学の祖」とも称されるピネルですが、「鎖からの解放＝良いこと」というイデオロギーに疑問を呈した人物がいます。フランスの哲学者、ミシェル・フーコー▼です。フーコーは、精神疾患のひとたちが世の中でどのように扱われてきたかに興味を持ち、その歴史を研究してきたひとです。『精神疾患と

▼**ミシェル・フーコー**
フランスの哲学者。一九二六年生まれ。構造主義の立場から、権力、知、狂気などを詳細に研究した。主な著書に『狂気の歴史』『言葉と物』『監獄の誕生』『性の歴史』など。一九八四年歿。

パーソナリティ』▼では、ピネルらに対し次のように物申しています。

ピネル、テューク、およびその同時代人や後継者たちは、監禁という古い慣行の鎖を解いたのではない。逆に狂人の周りを鎖で締めつけたのである。（中略）実際には、狂者はまさにこの空間において、たえず社会的および道徳的に管理されるのである。狂者を治癒させるということは、依存感情、謙譲の念、罪の自覚、感謝など、家庭生活の道徳の骨組みを狂者に再び植え込むことを意味した。そのためには、脅し、罰、食事の制限、屈辱など、要するに強者を子供扱いすると同時に、罪ある者とするためのすべての手段が活用された。

鎖からの解放ののちに「治療」と称して病院で行われるようになったのは、道徳意識を植え付けることによって、患者を「まともな」人間に再教育することでした。道徳意識というのはたとえば、「働くことは尊いこと」「ひとは世の中の役に立つべきだ」「悪いことをしたひとは悔い改めなければならない」「お世話になっているひとには感謝しなければならない」「家族は大切だ」というようなことです。フーコーは、ただでさえも病気で困っているような患者に、このようなイデオロギーを押し付けるのは果たして正しいのか？という問題提起をしているのです。

▼『**精神疾患とパーソナリティ**』
フーコー最初の著書。中山元訳、筑摩書房、一九九七年刊行。

そして『狂気の歴史』▼では次のように述べています。

ピネルによって〈解放された〉狂人、しかもピネル以降の、現代の監禁を課されている狂人とは、告訴されている人物なのである。彼らがもはや一般の受刑者たちと混ぜ合わされることも同一視されることもない特権をもつのは事実ではあるが、彼らはたえず告発されるように宣告されていて、しかもその告発状の文章は決して示されないのである。彼らが保護院で暮している事態の全体が、その文章を形づくっているのだから。

「告訴されている人物」というのは比喩的な表現です。フーコーによると、精神病院の入院患者は、たえず「告訴」されているといいます。そして、告訴の理由がはっきりとは示されないままに、「罪」を償うように要求されているというのです。浮浪者や犯罪者らと一緒に収容されることこそなくなり、患者として扱われるようになったのはよかったものの、病院にいること自体がそのひとを相対的に「狂人」たらしめており、「お前は社会に出せない人間だ」とでもいわんばかりに病院に閉じ込められ続ける。患者本人は、自分のどこがどう「おかしい」のだろうと、二十四時間自らを見張ることになります。それはとてもつらい作業なのではないでしょうか。

▼『**狂気の歴史**』フーコーの思想の原点となるような名著。田村俶訳、新潮社、二〇二〇年刊行（新装版）。

ピネルが開始した「人道的」な治療によって、患者は鎖から解放されたように見えます。しかし実際のところは、「見えない鎖」につなぎ直されたにすぎなかった。それは解放というよりはむしろ、束縛である。そう指摘したのがフーコーだったのです。

「マルクスによる宗教改革批判」

フーコーの発言の背景には、ドイツの経済学者、カール・マルクス▼の存在がありますマルクスは「民衆のアヘン」と宗教を批判したことでも知られる人物です。次の引用は『ユダヤ人問題に寄せて／ヘーゲル法哲学批判序説』▼より、ドイツの神学者、マルティン・ルターが進めた宗教改革▼についての記述です。

ルターは権威への信仰を打破したが、それは信仰の権威を回復することによってだった。ルターは坊主どもを俗人にひとしいものとしたが、それは俗人を坊主に変身させることによってだった。ルターは人間を外面的な宗教生活から解放したが、それは宗教生活を人間の内面的な生とすることによってだった。たしかにルターは身体を鎖から解放したが、それは心を鎖でつなぐことによってだった。

▼カール・マルクス
ドイツの経済学者、哲学者。一八一八年生まれ。フリードリヒ・エンゲルスとの共著『共産党宣言』や『資本論』などでよく知られる。資本主義経済を厳密に分析し、社会主義社会への移行の必然性を主張した。一八八三年歿。

▼『ユダヤ人問題に寄せて／ヘーゲル法哲学批判序説』
真の人間解放を願った若きマルクスによる著作。中山元訳、光文社、二〇一四年刊行。

十六世紀、時のカトリック教会が信者に免罪符を販売していたことに端を発する宗教改革。サン＝ピエトロ大聖堂の改修費用を稼ぐため、「これを買えば救われる」といって金儲けをしていた教会に、ルターは待ったをかけました。ローマ教会の腐敗を止め、信仰の権威を回復させたといえば、聞こえが良いですよね。しかし、「信仰の権威の回復＝良いこと」という捉え方も、ひとつのイデオロギーです。見方を変えれば、「免罪符さえ買えば救われる」宗教のほうが手軽で良かったかもしれない。ルターの「信仰によってのみ義とされる」という宗教観は、二十四時間自らを見張らなければならなくなった入院患者の例と同じように、日常が宗教に干渉される事態を招きます。自分の罪深さをたえず見つめ、日々を過ごさなければならない。礼拝に行っているときだけでなく、日常のありとあらゆる場面で、自分の信仰が正しいものであるかどうかが問われるようになるのです。マルクスは、それは「心を鎖でつなぐこと」であると、手厳しく批判しました。

▼宗教改革
十六世紀のヨーロッパで起こった、キリスト教の改革運動。ドイツのルターに始まるが、その後スイスやフランス、イギリスなどにも広がる。腐敗したカトリック教会を批判し、信仰を重視した。宗教改革によって新教・プロテスタントが生まれ、旧教・カトリックもそれに対抗し、宗教戦争に発展した。

「真の解放は存在しうるのか」

このように、マルクスもフーコーもかりそめの「解放」にはたえず疑いの目を向けていました。それでは、彼らにとっての真の解放とは一体何なのでしょうか。

すべての解放は、人間の世界とそのさまざまな関係を、人間そのものに復帰させることである。（中略）政治的な解放は、人間を一方では市民社会の一員に、すなわち利己的に独立した個人に還元することであり、他方では国家の公民に、すなわち道徳的な人格に還元することである。（中略）これにたいして［たんなる政治的な解放ではなく、真の］人間的な解放が初めて実現するのは、現実の個人一人ひとりが、抽象的な公民を自己のうちにとり戻すときであり、個人としての人間が、その経験的な生活、個人的な労働、個人的な関係のうちで、類的な存在となるときであり（後略）

（『ユダヤ人問題に寄せて／ヘーゲル法哲学批判序説』）

マルクスによれば、人間的な解放、つまり真の解放の実現には「類的な存在」が重要になるといいます。「類」とは簡単にいえば、共同体においてひととひとが結びついている状態のことです。学校や職場など、集団のなかで生活している以上、みな当たり前に「類的」なのではないかとの疑問が浮かぶかもしれませんが、いまの世の中はどんどん個人主義的になっています。マルクスの目指す人間解放とは距離があるのです。

個人主義の時代に「類」を取り戻すために

では、失われつつある「類」をどう取り戻したらいいでしょうか。

精神科医としてのぼくの実践の話に移りたいと思います。労働組合の雑誌に寄稿した「うつ病患者の職場復帰の際に、なぜ『時短勤務と残業禁止』を指示するのか」を元にお話しします。

うつ病患者の職場復帰の際、多くの場合「時短勤務と残業禁止」を指示します。が、それは「病み上がりだから無理しないでね」ということではありません。ポイントは、ずばり「類」にあります。

まずは患者本人に「仕事のケリを自分でつけずに」帰ってもらうことで、「自分の仕事が未完成であることに耐える能力」を身につけてもらいます。そして、周囲からのサポートを受けることにも慣れてもらう。そうすることで、職場に自然と「ケア」が発生します。このようにひととひとをつないでいくことで、「類」の状態を作り、職場をもっと個人主義的ではない形に変化させることを目指すことができます。

ただし、毎年ひとりずつうつ病患者を生み出すような仕組みが常態化している職場は、当然そのような措置だけでは足りません。その場合は、ぼくは患者の上司を病院に呼ぶようにしています。もっと直接的に介入して、「職場ごと治療する」ような感覚ですね。

単に薬を処方して、「病み上がりだから無理しないでね」とだけアドバイスするような治療は、「良くない解放」といえるかもしれません。治療のコストと責任を個人だけが負わなければならなくなるので、個人主義的です。仮にそれで体調が良くなったとしても、職場に戻ったら、ひとを病気にしてしまうような環境が変わっていないのであれば、また病気になってしまうかもしれません。それでは堂々巡りで、埒が明きません。

マルクスは革命家です。革命というと、システムをまるごと取り替えなければならないような、大掛かりなイメージがあります。しかし、そこまでしなくとも、自分の身近なところを少しずつでも変えていくことで、人間は「類」を取り戻すことができるのです。

居場所の見つけ方

ぼくの仕事の話を挟みましたが、それでは、みなさんのような学生は、感覚を共有できる「類的な存在」をこれからどう見つけていけばいいのでしょうか。

与えられた共同体のなかで自分の居場所を見つけやすいひとと見つけにくいひとの格差というのは、たしかに存在します。でも、やはり探すのは大事です。共同体の規模にもよりますが、大学は学生の数が多いので結構見つかりやすいです。

とくに、「好き」や「楽しい」の力は絶大です。誰もが一歩を踏み出しやすい「類」の見つけ方として、一つ、共通の趣味や価値観を通じてひととつながっていくことが挙げられます。大学でもそのような存在が見つからない場合は、あなたの「好き」や「楽しい」がマニアックすぎる可能性があるので、インターネットで探してみましょう。とにかく、「類」はどこかに絶対います。

居場所を見つけることに苦手意識があるひとは、自分が興味を持っていることを周りにいえていないケースが多いですね。嫌なものは嫌、好きなものは好きと自己主張することが大切ですが、はっきり意思表示するのはそんなに簡単なことではないですよね。

ただ、苦労してでも「類」をぜひ見つけてほしい理由は、お互いに変化がもたらされるからです。たとえば、マイナーなインディーズバンドが好きな者同士で「類」になるとしますよね。それまで自分はメジャーな音楽なんてくそくらえと思っていた。けれども、じつは相手はメジャーな音楽にも詳しくて、話が面白い。すると徐々にそういった音楽にも興味が出てくるわけです。「好き」や「楽しい」を通じた偶然の出会いのなかで、自分も相手も変容していく。これが「類」の醍醐味なのです。

精神医学とイデオロギーの話からだいぶ飛躍してしまいましたが、みなさんも「類」を見つけて実りのある学生生活を送ってもらえたらと思います。

Q&A

――精神医学の道を志した理由を教えてください。

冒頭でお話した、〈イデオロギーは崩壊する〉事件のあとにマルクスにハマりました。哲学や現代思想に興味が出て、いろんな本を読み漁りました。中高生のときは、ハイデッガー▼の研究者の木田元さんの本を読んでいましたね。あとは、講談社の「現代思想の冒険者たち」というシリーズ。高校の図書室にあったのでほとんど全部読みました。

思想家ごとに一冊の本にまとめられていてどれも刺激的でしたが、とくにフランスの精神科医、ジャック・ラカン▼から多大な影響を受けました。ちょうど講義録も邦訳出版されたころで、当時よく行っていた地元高知の金高堂書店で見かけ、購入しました。

中を見て、仰天しました。というのも、書いてあることの意味が全然わからないんです。本はそれなりに読んできたつもりだったので、高校生レベルの理解とはいえ、それまではある程度読めていました。でも、ラカンはまるでわからない。それで「このひとは他のひととは何か違うぞ！」と惹かれ、そこからずっとラカンの研究をしています。

〈イデオロギーは崩壊する〉もそうですが、「なんかわかんないけどすごい」っていうのが好きで。本当にただそれだけなんです。その後たまたま医学部に行ったので、ラカンも精神科医だし、ということで同じ道を選びました。

▼一一四頁注参照

▼ジャック・ラカン
フランスの精神科医。一九〇一年生まれ。フロイトの精神分析を構造主義や言語学と結びつけることによって基礎づけた。主著に『エクリ』。一九八一年歿。

わたしの思い出の授業、思い出の先生

大学のときの話をしましょう。わたしの通った医学部は当時単科大学でしたので、一般教養科目の種類がとても限られていました。わたしの場合は中高生のころから哲学や現代思想に興味があったので、医学の勉強にそれほど身を入れていたわけではありません。しかし、その限られた一般教養科目で、多くのことを教えてもらいました。とくに、医療人類学の講義で、医療のあり方を相対化して捉える見方を教えてもらいました。医学の勉強だけをしていると、「病気は悪いもの」であって、「治すことが正しい」と考えてしまいがちです。しかし、もっと広く視野をとれば「何を病気と見なすのか」「何をもって治療とするのか」「治すことだけが正解なのか」といった問いが無数にあらわれてきます。わたしにとっては、そのような考え方が、現在でも臨床で大いに役に立っています。実際、精神科の治療では、患者さん本人のなかに病気があるというよりも、むしろその患者さんの対人関係のあり方や、周囲の環境（職場や家庭）のほうに大きな問題があることがあります。そんなとき、「悪いものである病気を治療する」とすぐに結論するのではなく、一歩立ち止まって患者さんと一緒に悩んでみることが重要です。

わたしの仕事をもっと知るための3冊

松本卓也（共編）『コモンの「自治」論』（集英社）
松本卓也『心の病気ってなんだろう？（中学生の質問箱）』（平凡社）
松本卓也『創造と狂気の歴史　プラトンからドゥルーズまで』（講談社選書メチエ）

他者を理解するということ

川瀬慈

かわせ・いつし＝映像人類学研究者。一九七七年生。エチオピアの吟遊詩人、楽師の人類学研究を行う。国立民族学博物館准教授。著書に『ストリートの精霊たち』『エチオピア高原の吟遊詩人　うたに生きる者たち』『叡智の鳥』など。

わたしはアフリカの北東部、エチオピアにたびたび行き、文化人類学者として研究をしています。エチオピアは、日本の八十倍ほどの面積をもつ巨大なアフリカ大陸の右肩にある国。エチオピアも日本の国土面積の三倍くらいあります。大半が高原地帯で非常に冷涼な気候です。

そのエチオピア北部でわたしは音楽をなりわいとするひとたちの調査をしてきました。今日はわたしがメインで追いかけてきた人びとではなく、アフリカの都市で一番目立つ存在、路上で働き生活している子どもたちのことをお話しします。

「エチオピアの基礎知識」

まずエチオピアに関する簡単なイントロダクションをしておきましょう。主食は穀物の粉を発酵させて焼いた、クレープ状でちょっと灰色がかったパンのようなもの。インジェラといいます。ワットと呼ばれる野菜や肉、豆などのおかずを、手でちぎったインジェラに包んで食べるのですが、目の前にいる相手の口元にこのパンを運んで食べさせることもします。食を通した、すごく複雑なコミュニケーションの体系があります。

インジェラの原料はテフと呼ばれる穀物。日本の稲にも似ているイネ科の穀物ですが、背丈は稲の三分の一くらい。これを脱穀し、粉にして水に溶き発酵させてパンのようにします。好んで食べられるのは生肉。冷涼な気候で、高度二六〇〇メートルを超える高原地帯です。傷みにくいこともあり、唐辛子をつけて食べるのが庶民の大好物です。家に入ると肉を吊るしてビーフジャーキーのような干し肉をつくっていたりします。果物も豊富で、マンゴーやアボカドなどのフルーツをミックスジュースにして飲むのが人びとの楽しみでもあります。

エチオピアには蜂蜜からつくるお酒があります。フラスコのような容器に入れ、いまでは庶民にも広まっていますが元々は王侯貴族が好物として飲んだという高級酒。お酒のほかには珈琲も重要です。生活のうえでも大切な飲み物ですが、エチオピア経済にとっても輸出額の三割を占めるというとても重要な作物です。それをみんな一日に二、三回、炒った豆の粉を煮立てて飲んでいます。

民族と宗教のこともご紹介しましょう。エチオピアには、八十を超える民族、百を超える言語があるといわれています。髪型や衣装もさまざま、色とりどりです。宗教ではエチオピア正教会が千六百年の歴史を持ち、庶民の生活にとても重要な位置を占めています。週末になるとお祈りに教会に行く。また、アフリカは無文字社会というイメージがあるかもしれませんが、エチオピアにはアムハラ語▼という文字を持つ古い言葉があります。アムハラ語のアルファベットの数は三百を少し超えます。エチオピアではこの言葉が小学校などの教育の場でも教えられ、ひろく使われています。

「ゴンダールの子どもたち」

お話の舞台をわたしが二十年間通い続けている街、ゴンダールに移しましょう。人口は三十三万人くらい、現在の首都はアジスアベバですが、そのまえ十七世紀から十九世紀にかけてはエチオピア帝国の首都でした。日本でいえば京都のようなイメージです。中心部には王宮が遺され、ユネスコの世界遺産▼にも登録されています。周辺には住宅街が広がっています。これまで六代の王がこの町を治めてきたといわれています。

この街に降り立つとまず気がつくのは、路上で働く子どもが多いことです。日本にも路上で働いているひとはいるでしょう。でもこの街では十代の若者、少年少女たちが働いている。世界中から大勢の観光客が訪れる街でもありますが、路上の子どもたちがすごく印象に残ります。

▼**アムハラ語**
エチオピアの公用語的な言語であり、アフロ・アジア語族のセム語派に属する。話者の数は二千万人以上と推定される。

▼**ユネスコの世界遺産**
有形の不動産を人類共通の遺産として保護・保全していくために、一九七二年に制定された世界遺産条約に基づき、公益社団法人日本ユネスコ協会連盟が登録。文化遺産、自然遺産、複合遺産の三種類に分けられ、ゴンダールにおける遺跡群（ゴンダール地域のファジル・ゲビ）は世界文化遺産として一九七九年に登録された。

彼らがどんなことをしているかというと、ティッシュペーパーやチューインガムなどを売っている。つまり何らかの商業、経済活動に従事しています。一番多いのは靴磨き。足を乗せるための木箱を置けば、手っ取り早く始められる仕事でもあります。宝くじを売っている子どももいる。ダンボール箱を半分に切って品物を入れられるようにしたものを首から提げ、ティッシュペーパーやチューインガム、飴やビスケットを入れて売るというのがよくある働き方。彼らのなかには、どんどんお店を大きくして、腕時計や財布、靴下や下着類をディスプレイして売るようになるひともいます。こうした商売の他に、バスやタクシーの乗務員のような仕事をしているひともいる。

こんなふうに、民家や店舗の店先などで、何かを売っていたりご飯を食べたり、寝ていたり、いわゆるストリート・チルドレンと呼ばれるような子どもたちがすごく多いのです。学校はどうしているのかという疑問もあるでしょう。エチオピアの公教育に必要な費用はじつは微々たるものです。でもノートや文房具、制服などの学校に通うことに関わる物品の購入にけっこうお金がかかります。彼ら自身で小遣い稼ぎをしたり、観光客にせびったりしながら最初のうちは払っていても、やがてできなくなって学校に行かなくなってしまう。義務教育ではありますが、農業や牧畜を営んでいる家庭では子どもは大切な働き手でもありますから、簡単には学校に行かせたくないという家もあります。

「ストリート・チルドレンとは」

ストリート・チルドレンとはどういう存在なのか。たとえばユニセフは次のように定義しています。「路上に住む、あるいは路上で生計を立てている十八歳未満の子どもたち」。すなわち、物乞いから先にご紹介したような商売まで、何らかの経済活動を行う十八歳までの子どもというわけです。家族の有無には関わりません。

これに限らずさまざまなことがいわれています。よくいわれるのが、彼らは保護すべき、社会に適応させるよう更生させるべき存在だといういい方。このような視点に立って、子どもたちは何を必要としているのかを問い、親や教師、援助組織の人びとへの聞き取りなども広く行われています。他方で、子どもたちがどのような経験をしているのかを探り、彼らの興味やコミュニケーションの様式を調査し、子どもたち自身を中心にしてその世界や生活や人生を理解しようという見方もあります。保護すべき存在だという見方とはだいぶ違います。

さて、ゴンダールの街に暮らす彼らはそもそもどうしてこのように路上で生活し、働くようになったのでしょうか。いろいろな要因が考えられるのですが、アフリカの場合よくあるのは紛争などによって家族が離散してしまうこと。エチオピアでも二〇二〇年から二二年まで北部で政府軍と現地のティグライという民族との抗争▼がありました。このような紛争や、飢饉や干ばつ、都市部の資源の枯渇や人口急増などによっても、家族が離散してしまうことがあるのです。農村から都市にやってきて仕事を探す、でも結局仕事は見つからない。あるいは漠然と都会の生活に憧れて農村部からやってきた結果、いつのまにか路上にいついてしまう子どもたちも多いのです。

こうした、路上で生活するエチオピア北部の子どもたちは、結構ネガティブな言葉で呼ばれます。不潔、ゴロツキ、無頼漢、犯罪予備軍といったきつい言葉です。彼らとちょっとした買い物などを通じてコミュニケーションを重ね、百八十人くらい研究を通して出会いインタビューしましたが、働く子どもたちの六割くらいが扶養してくれる家族のいない子どもたちでした。

これから、わたしがこうしたストリートのふたりの子どもたちとつくった映画を見ていただこうと思います。ずっと定宿にしている安いホテルの一室で、ふたりの少年と会話するだけでできている映画です。このふたり、ちょっと複雑な背景があり、身寄りになる家族がまったくいない孤児ではありません。親と揉めて家出をして、十代半ばですが物乞いをしたりそのときどきのアルバイトをして生活するようになった。二〇〇七年前後に撮影した映像ですが、現地で子どもたちとコミュニケーションしながら、彼らにとってよりよい生活とはなんだろうかと考えて撮っていました。中盤、ちょっとしたお金を彼らに投資します。それを元手に仕事を始めるように激励するシーンも出てきます。

▼ティグライ紛争
二〇二〇年十一月に政府軍と北部ティグライ州を拠点とするティグライ人民解放戦線（TPLF）の間で始まった紛争。二〇一九年にノーベル平和賞を受賞したアビィ首相が、TPLFの軍事施設を空爆するなど大規模な攻撃を行うとともに、食料の供給を遮断。政府軍とティグライ人勢力が激しい戦闘を繰り広げ、多数の市民が犠牲となった。二〇二二年十一月に双方が合意し停戦した。

〜上映『Room 11, Ethiopia Hotel』▼〜

舞台となっているエチオピア・ホテルはもう築百年くらいになるでしょうか、街の中心にあるお城から歩いてすぐにある古いホテルです。あわせて一年半くらいでしょうか、この十一号室が気に入ってずっと生活していました。日本円でいえば一泊二百円ほど。

どうしてそんなに長い時間滞在するのか。文化や言葉は、それこそ生き物のように日々変わってゆきます。とくにストリートは文化のゆりかごです。流行も生まれますし、人びとの思考のモードが変わってゆくことも目撃することになります。その生命体のようなストリートの蠢きは、そこで生活し、肌で感じ、つながっていないと感じられないのです。一年に数週間くらいの短い滞在ではなかなかわからない。

▼『Room 11, Ethiopia Hotel』
川瀬慈監督・撮影・編集・録音、二〇〇七年公開。エチオピアのゴンダールにて二〇〇六年に撮影された。路上で生活を行う二人の少年たちと、撮影者自身によるホテルの部屋でのやりとりから生起する物語に焦点を当てた、二十三分の映像作品。二〇〇八年、サルデーニャ国際民族誌映画祭においてPremioper il film più innovativo（最も革新的な映画賞）を受賞。

「他者を通して自分を考える」

映像のとおりですが、ずっとあそこで暮らしていると、「川瀬、遊ぼうよ」といろんな子どもたちが常にノックしてやってきます。今日は仕事に集中したいから、執筆に集中したいからと断ってもドンドン扉は叩かれる。そんなふうにしてやってくるうちのふたりが映像のシュファロとヨハネスだったわけです。

いまから十七年も前ということになります。

彼らがカメラを覗くシーンがありましたが、彼らを撮影しながら、それを見せ、こんなふうに映っているよ、どんな感じで撮ってほしい？と常に彼らにフィードバックしながら撮影してゆきました。見せながら、被写体である彼ら自身にストーリーを考えてもらっていたといえるかもしれません。

映画が完成したのは二〇〇七年、以来いろいろな国で上映しました。エチオピアでも大学や研究セミナーの場で上映してきました。彼らと一緒に大学へ行って、上映後のディスカッションに参加してもらったこともあります。ストリートで生きるとはどういうことかを語ってもらったり、彼の夢を話してもらった。

コロナ・パンデミックの少し前、二十代半ばになったシュファロは、もう路上では生活していませんでした。皮を使ったレザージャケットやカバン、靴をつくる職人となってエチオピアの首都で活躍しています。もうひとり、ヨハネスのほうはまだちょっと不安定で、物乞いをしたりして、当時と同じように路上を基盤とした生活を続けています。そんなふうに十年以上の時間が経ったあとも、大学での講義の際のディスカッションに同席してもらったりして、彼ら自身の人生の変化や心境の変化を話してもらったり、話し合ったりしています。

文化人類学という学問はさまざまな世界のさまざまな文化のなかに、研究者自身が身を置き、言葉を学び、食べ物を食べて宗教を学びます。その地の人びとの思考の様式を学び、理解しようとしてゆく学問です。まさに他者を理解することです。でもそこで留まらない。他者を理解することは、その他者が眼差しているわたしとは誰かという問いにつながる。他者との関わりを通して、自身を理解していくことが文化人類学の大きなテーマだと考えています。

他者を理解することがわたしの仕事ですが、こういうふうに長い時間をかけてもなお、本当に難しい。他者も変わってゆきますし、わたし自身も変わります。そんな変化してゆく存在にどんなに寄り添っても、理解はできず、謎は深まるばかりなのかもしれない。でもわたしはそれでいいと思っています。世界の謎は多ければ多いほうがいい。わかった、といい切れるようなものは少なくてもいい。そのほうが安心できる。他者に寄り添い、長い時間をかけてコミュニケーションを蓄積してゆく、それがわたしの大きな仕事だと思っています。

Q&A

――先生の投資したお金は結局どうなったんですか？

ふたりの商売の行方ですね、すごく大切な質問です。映画の中盤でふたりがダンボールに入れている品物がガクッと減ったことに気がついたでしょうか。たくさん入れてあったのに、ビスケットとティッシュ二つずつくらいになってしまう。そのころ、六月から九月にかけての雨季だったのだと思います。大雨が降る時期で、路上からお客さんがぐっと減ります。おそらく自分たちで食べちゃったのだと想像しています。ふたりに聞いてはいないのですが、そんなところでしょう。わたしがちょっとした投資をしたのはふたりだけではありません。なかにはすごくうまくゆき、ちょっとしたお店を構えるようになったケースもあります。

これまで六十カ国くらいで上映してきましたが、じつはこのように投資することにはすごく議論がありました。人類学という学問研究の考え方でいえば、研究対象から少し距離をおいて観察するのが主流です。こんなにも話しかけ、おまけにお金まで与えてしまう、やりすぎなんじゃないかという議論です。従来のように距離を取り、淡々と観察して撮影するだけの場合、撮影する側の姿勢が問われないことになりますが、文化人類学はもはやそういう学問ではないと考えています。

わたしの思い出の授業、思い出の先生

Q1：**思い出の授業を教えてください**

ブリティッシュコロンビア大学の人類学の講義。

Q2：**なぜ記憶に残っているのですか**？

ハイダ族のトーテムポールの表面上の図柄をひたすら長時間スケッチ。

Q3：**その授業は人生を変えましたか**？

はい。

わたしの仕事をもっと知るための3冊

川瀬慈『ストリートの精霊たち』（世界思想社）

川瀬慈『見晴らしのよい時間』（赤々舎）

エドゥアール・グリッサン著、管啓次郎訳『〈関係〉の詩学』（インスクリプト）

心見る仕事

東畑開人

ぼくは普段、カウンセリングルームで町の心理士をやっています。以前は大学で働いていたのですが、やっぱりカウンセリングをしているほうが楽しくて、いまは大学を辞めて暮らしています。高輪に二部屋ある物件を借りていて、一つは面接室、もう一つは事務室にしています。面接室にはソファーがあって、そこにクライエントがやってきて、一回五十分くらい話をして帰っていきます。帰る前にクライエントはぼくにお金を渡して、ぼくはクライエントに領収書を渡す、ごくシンプルな仕事です。かといって、大学とまったく関係がないかというと、そんなこともありません。カウンセラーという仕事は、臨床心理学という学問を使って心を見る仕事だからです。

ちなみに、臨床心理学は、ふつうの心理学とどう違うと思いますか。ふつうの心理学の場合は、一般的なみんなの心、要は「ふつうの心」がどういうふうに動くのかを考える心理学です。一方、臨床心理学は、「臨床」という言葉が

とうはた・かいと＝臨床心理学者、臨床心理士・公認心理師。専攻は精神分析と医療人類学。一九八三年東京生まれ。京都大学教育学部卒業、京都大学大学院教育学研究科博士後期課程修了。精神科クリニックでの勤務、十文字学園女子大学で准教授として教鞭をとった後、白金高輪カウンセリングルーム主宰。著書に『野の医者は笑う　心の治療とは何か？』『居るのはつらいよ　ケアとセラピーについての覚書』『聞く技術　聞いてもらう技術』など。

ついていますよね。臨床とは、病んでいるひと、苦しんでいるひとと付き合うことを指しますから、苦しむ心についての心理学です。目の前にいるひとの心を、どういうふうにしたら楽にできるか、健康になるか、どうして病んでいるのかを、研究して支援します。なかでもぼくの専門は力動的心理療法▼といって、ぼくらの心のなかにある無意識、自分のなかに自分じゃない自分がいることについて研究しています。みなさんも、親としゃべっているときだけいつもと違う自分が出てくるとか、自分じゃない自分が出てくる経験をしたことがあるんじゃないでしょうか。

▼力動的心理療法
症状や悩みの背景にあるもののまだ十分に意識されていない、無意識的な葛藤や自分の傾向を知ることでそれらの改善を目指す精神療法のこと。

「行ったり来たり」に心がある

北山修▼先生という有名な精神科医がいるのですが、彼は元々バンドマンでした。ザ・フォーク・クルセダーズというバンドで、百万枚もレコードが売れるほどのスーパースターです。でも、彼は変わったひとで、一対百万のコミュニケーションが嫌だといって、一対一の仕事をするためにバンドを辞めて医学部に入り精神科医になったんです。

何が嫌だったかというと、嫉妬です。いまでも週刊誌を見ると、いろんな有名人のスキャンダルが載っていますよね。なぜだかわからないけれど、読んでいて楽しいじゃないですか。あの感情は嫉妬なんですよ。嫉妬を嫌った彼

▼北山修
精神科医・臨床心理学者・作詞家・歌手。専門は臨床精神医学、精神分析学。九州大学名誉教授、白鷗大学名誉教授、白鷗大学学長。一九四六年生まれ。大学在学中にザ・フォーク・クルセダーズ結成に参加。『戦争を知らない子供たち』で日本レコード大賞作詞賞を受賞。著書に『悲劇の発生論』（金剛出版）など。

は、イギリスに留学して、自分やひとの心を分析する訓練を受けました。そして、なぜ俺はバンドを辞めてイギリスに留学したんだろう、という疑問の答えにたどり着く。じつは彼は、深層心理ではビートルズになりたかった。「俺がビートルズに嫉妬していたんだ。俺自身に強い嫉妬があるから、ひとからの嫉妬があんなに怖かったんだ」と気づくんですね。ひとからの嫉妬だと思ったら、自分のなかの嫉妬をひとに写して見ていたというわけです。なかなか面白いでしょう。

そんなふうに、心には裏側があって、行ったり来たり裏腹になっている。北山先生が九州大学の教授を辞めるときに行った最終講義が『最後の授業　心をみる人たちへ』▼という本になっています。このなかに出てくる文章を少しだけ読んでみたいと思います。

悩みのない人間なんていないです。みんなどこかに狂っているものを抱えて生きているでしょう。ここにいるひとたち、みんな正常そうな顔をしてるけれども、私がいつもいっていることを繰り返すと、裏側にいろんなことを隠して、それを抑圧して生きている。だって学校に行きたくないという思いはみんな持っているじゃないですか。もし持ってなかったら、この仕事（心理士）をやめたほうがいいよ。

▼**『最後の授業　心をみる人たちへ』**
二〇一〇年春の九州大学退官を前に、主に臨床心理学を学ぶ学生たちに向けて行った講義をまとめた一冊。ミュージシャンとしての体験をもとに精神分析の視点で語る。北山修著、みすず書房、二〇一〇年刊行。

彼は、心理士になりたいひとたちに対して、学校に行きたくないと思っていなかったのなら、この仕事を辞めたほうがいいといっています。ひどい話ですよね(笑)。ただ、まさにこれが心は裏であるという話で、「学校に行きたくない」だから、行かない」だとしたら別に裏には何もありません。でも、そうではなくて、「学校に行っている。でも、本当は行きたくない」。この「でも」がつくのは、表と裏を行ったり来たりしているからです。そして、表と裏を行ったり来たりしているところに、心というものがあるのです。ですから、ふつうじゃない心というのは、ふつうじゃないひとが持っている心というわけではありません。みなさんのなかにも、ふつうの心とふつうじゃなくなっている心があるんです。

古文の授業で、「うら寂しい」とか「うらわびしい」といった表現がありますよね。あの「うら」というのは、もともと〝心〟という意味を持っていたそうです。反対に、「おもて」は昔の言葉でいう〝顔〟を意味します。顔の反対側に心が隠れていると、昔のひとたちは考えていたわけですね。

「心のケアってなんだろう?」

心のケアという言葉を耳にしたことがあると思います。この言葉が最初に日本で広く使われたのは、一九九五年の阪神淡路大震災▼のときです。被災者たちの心のケアが必要だとさかんにいわれたことで、当時の心理士たちがボランティアにかけつけました。それ以来、事件や災害時はもちろん、学校や職場で問題が起こるたびに、心のケアをしなければいけないといわれるようになりました。

では、心のケアとは、具体的に何をすることを指すのでしょうか。阪神淡路大震災が起きた当初、心理士たちは被災したひとの話を聞くのが心のケアだと思って、「つらかったでしょう、お話を聞かせてください」と被災地で声をかけたんですね。そうしたら、「あんたなんかに話したくない」とか「よそもんが勝手に来るな」といった感じで、すごく怒られてしまった。気持ちはわかりますよね。自分が避難所生活をしているときに、話を聞かせてくださいなんていわれたら、そっとしておいてほしいし、おせっかいだなと感じる気がします。

じゃあ結局、被災地で心理士たちが何をしたかというと、トイレ掃除をしたらしいです。トイレが汚いと生活のストレスになる。でも、トイレを誰かが綺麗にしてくれているとちょっと心が軽くなるじゃないですか。だから、トイレ掃除をしたり、給水所から水を運ぶお手伝いをしたり、そういうことが心のケアなのだと、当時の心理士たちは発見していったんです。心のケアという言葉だけ聞くと、ぼくら心理士が心のなかを直接治療するのかと思うんだけれど、彼らがやったのは心の外側のケアでした。興味深いですよね。このことからわかるのは、もちろん話を聞くことは心のケアなんだけれど、決してそれだけで

▼**阪神淡路大震災**
兵庫県南部を震源として一九九五年一月十七日に発生した地震。日本で初めての大都市の直下を震源とする大地震で、気象庁の震度階級に震度七が導入されてから初めて最大震度七が記録された地震である。発生当時、戦後最多となる死者を出した。

はないということです。

逆にいえば、話を聞くことは、じつは誰もがやっていることでもあります。みなさんも、お互いに話をしたり聞いたりしていますよね。つまり、心理士だけが心のケアをしているわけではなく、誰もが心のケアをしているんです。話を聞いたり聞いてもらったりが、ぼくらの生きている世界ではぐるぐる回っていて、これらすべてが心のケアです。みなさんがふつうに暮らしているのは、この素人同士で心のケアがうまく回っているからであり、決して特別なものではないのです。

一方で、素人同士で回す心のケアがときどきうまくいかなくなることがあります。たとえば、ふつうに毎日を暮らしていた家族がいたとして、ある日突然子どもが朝起きてこなくなり、学校に行かなくなる。親は「どうしたの？」といろいろ聞いてみるんだけれど、どうにも答えてくれない。それで、次の日も休む、さらにその次の日も休む……。この子、一体どうしちゃったんだろうと、親は心配しますよね。

これは、いままではふつうにうまくいっていた心のケアが、ある日突然、うまくいかなくなったから起きているわけです。まわりが何かしてあげようとしても、何かしようとすればするほど傷つけてしまったり、孤独にさせてしまったりする。もしかしたら、みなさんは逆の体験があるかもしれないですね。親が心配していろいろいえばいうほど、「何もわかってない！」と感じてしまうとか。こんなふうにケアがうまくいかなくなったときが、臨床心理士の出番です。

ヘルスケア・システム▼という言葉があって、ぼくらの生きている社会の健康を維持するための三つの装置「専門職セクター」「民間セクター」「民俗セクター」のことを指します。専門職セクターは、ぼくらみたいな心理士やお医者さんのことです。みなさんがインフルエンザになったら病院に行くように、オフィシャルに治療をしてくれるひとたちです。

これに対して民俗セクターは、オフィシャルじゃない治療者たちです。どうも体調が悪いなと思って病院に行ってみたけれど、いくら薬をもらっても治らない。そういうときに頼る非公式なもの――たとえば、霊能者や占い、健康食品なんかがそうです。ちょっと怪しい感じがしますが、オフィシャルな世界の外にオフィシャルじゃない治療者が存在します。

そして、民間セクターが素人たちのケアを指します。たとえば風邪をひいたとき、すぐに病院へ行くわけではないですよね。まずは体温を測って、温かくして寝ておこうとするじゃないですか。これは、自分で自分のケアをしているということです。病気になったときに、まず自分で自分の治療をし、それからまわりのひとたちが治療をしてくれる。こういうふうに、素人たちがケアをする世界のことを民間セクターと呼びます。

専門家が治療してくれるものだと思われがちだけれど、心のケアの大多数はこの民間セクターで行われているんですよ。ほとんどの治療は民間セクターで

▼ヘルスケア・システム
医療人類学者アーサー・クラインマンが提唱する概念。広義のヘルスケアを文化的なシステムとして把握するためにつくられた。民間セクター、民俗セクター専門職セクターの三つに分けられる。この概念のひとつの意義は、素人レベルでの症状の理解や、家族をはじめとするさまざまな人が治療において果たす役割などにわたしたちの目を向けさせることにある。

なされていて、それでも治らないときに初めて、専門セクターを頼るんです。面白いですよね。

心を見る仕事

心理学科を出て心理士をやっているというと、よく「心は読めるんですか」といわれることがあります。もっというと、「いま頭のなかで何を考えているか当ててください」とかね。こういうことは手品として飲み会で披露すれば盛り上がるんだろうけど、ぼくらがいうところの「心を見る」というのは、頭のなかに浮かんでいることを当てるわけではありません。では、一体何をしているか。

それは、クライエントの言葉の裏にある思いを読み解こうとしています。手品師みたいにみなさんの頭のなかをいい当てるわけではないんです。なぜなら、クライエント自身も自分がいっていることと違う裏の心があることに気づいていないときがあるからです。

異常心理学という言葉があります。異常心理学の反対は正常心理学です。ふつうのひとの心がどういうふうに動くのか調べるのが正常心理学なのに対して、異常心理学はいつもと違う心の動きを調べるものです。元気なときには、友だちに「おはよう」といわれたら挨拶だと受け取って「おはよう」と返しますよね。でも、心の具合悪いときに友だちから「おはよう」といわれたら、「いつものおはようと違うニュアンスがあった気がする。今日からクラスでいじめが始まるサインなんだ」と考え始めてしまったりする。明らかにいつもと違う心理状態になっていますよね。こういった心の動き方を調べているのが、異常心理学です。

たとえば、学校に行こうとするとお腹が痛くなる不登校の少年がいたとします。その少年は、前日の夜になるとランドセルに教科書を入れて準備をします。それを見た親は、「あ、明日は学校に行くんだな」と思います。だけど、次の日の朝になると、お腹が痛いといって学校に行かない。これが毎日繰り返されます。すると親は、「この子は、本当は学校に行く気なんかないのに、行くポーズを見せてごまかしているんだ」と思ってしまい、だんだん子どもに対する不信感が強くなっていきます。

このような問題は、親が正常心理学で物事を捉えてしまい、子どもの心が一つだけだと思い込んでいるせいで起こります。つまり、毎朝お腹が痛くなるなんてふつうは起こらないから、演技をしているに違いないと決めつけてしまっているわけです。さらに子ども自身も、親に「なんで学校に行きたくないの」と聞かれても、どうしてなのか自分でもよくわかっていなかったりする。心の奥底には原因があるはずですが、うまく言葉にならないんですね。

一方、ぼくら心理士が心を見る場合は、前提が少し違います。まず、心の具合が悪いときはお腹に症状が出やすいですから、この子は前日の夜には学校へ行こうとしているんだけれど、朝になるとほんとうにお腹が痛くなってしまうのだと考えるのです。つまり、この子のなかには「学校に行きたい」という気持ちと「学校に行くのが怖い」という気持ちの両方がある。このふたつの気持ちを想定すると、見え方が変わってくると思いませんか。ほんとうに行こうとしているのだとわかれば親もほっとするし、それでも行けないんだとすれば、この子自身も自分がいま何らかの原因でつらいんだと気づくはずです。裏腹になっているふたつの気持ちがあるとわかるだけで、まわりのひとの働きかけが変わってくる。異常心理学によって心を見るというのはそういうことです。いつもと違う心の動き方があると理解をすることによって、世の中にあるあらゆる問題行動を読み解いて、どのように対処したらいいのかを考えていけるのです。

素人同士の心のケアがうまくいかないときは、その子のことをまわりのひとがよく理解できなくなってしまっている状態に陥っているサインです。心を病むと、まわりがそのひとのことをわからなくなってしまうのです。わからないから、どう対処していいかもわからず、本人はますます孤独になってしまう。心を病むことと孤独って、とても深い関わりがあるんですね。逆にいえば、理解されることで孤独は少し解消されます。だから、心を見てそれをまわりに通訳して教えて、理解されるようにしていく。それが心理士の仕事です。

「心に補助線を引く」

心のケアと聞くと優しい世界を想像するかもしれませんが、実際はそんなことはありません。カウンセリングをしていると、よくクライエントに怒られます。「先生はまったくわたしのことをわかってない」とか「先生なんか死んでしまえばいいのに！」とか、しょっちゅういわれるんですよ。いままさに孤独になっているひとと接触しているわけですから、ぼくがいくらカウンセラーだからって、ふつうに接しているだけで相手を傷つけてしまうことがあるのです。そうすると、傷つけられた相手は当然、怒ったり不安になったりしますよね。

たとえば、家にずっと引きこもっている青年がいたとして、ぼくがその青年のところに家庭訪問に行ったとします。すると、相手は「てめえふざけんな、早く帰れよ」といって、怒ったりしてきます。この反応をふつうに受け取れば、怒りや憎しみの言葉がぶつけられているし、「俺に関わるな」という拒絶に感じますよね。

でも、それに対してぼくがどう思うかというと、「怖い」といっているんだなと受け取ります。考えてみれば当然ですよね。知らないひとがいきなり家にやってきたら、どこかの施設に入れられるんじゃないかと考えて、すごく怖くなるはずです。心を見ることは、こんなふうに表の声から読み取れる裏にある声を丁寧に聞き取っていく作業です。

ひとがケンカをするときも同じです。もちろん、相手に対して腹が立つからケンカになるんですが、同時に、相手が自分のことをわかってくれて当然だと期待しているんですよね。「わかってくれると思っていたのに、なんでわかってくれないんだ」という怒りでケンカしているんです。一見憎しみに見えるものの裏に期待があり、愛情があり信頼があったりするものなんですね。

ただし、裏にある声だけがほんとうというわけでもありません。クライエントがぼくに対して「死ねばいい」といったとき、裏には「もっとわたしのことをわかってほしい」という気持ちがあるのと同時に、その言葉を発した瞬間はほんとうに「死んでほしい」とも思っています。心を見るというのは、こうした表と裏のメッセージを両方とも受け取って、そのふたつがどういうバランスでせめぎ合っているのかを見ていくのです。

みなさんの心のなかにも、自分ではうまく整理できないごちゃごちゃした気持ちがあるでしょう。ぼくらはそこにピッと補助線を引く。すると、心のなかでは「学校に行きたい気持ち」と「行きたくない気持ち」のふたつがせめぎ合っているんだと見えてくる。

心理学って、基本的にはこうした補助線の引き方を学んでいるんですよ。たとえば、意識と無意識の理論を学ぶことで、みなさんの心が意識の部分と無意識の部分にわかれていることが見えるようになる。曖昧な図形をちょっと見やすくするためにいろんな補助線があって、ぼくらは心理学を学ぶことで補助線の引き方を武器として蓄えているのです。

「わからないものをわかろうと「試みる」」

こんなふうに話をすると、心理士がいろんなものを見抜く達人のように見えるかもしれませんが、決してそんなことはありません。もちろん勉強しているぶん、君たちよりかは多少ひとの心が見えるかもしれないけれど、それでも根本的には「心見る仕事」というのは「試みる仕事」だと感じています。何度も試して、トライアンドエラーを繰り返す仕事。なぜなら、先ほどもいったとおり、心のケアを専門的に必要とするひととは、周囲が彼らをわからなくなってしまい、孤独のなかにいるひとたちだからです。要するに、わからないものと出会う仕事なんですよ。みんなにとって謎になってしまったものが、ぼくらのところにやってくる。ぼくらは毎回、謎と対峙する。でもね、やっぱり謎は謎なので、ぼくらもそう簡単にはわからないんです。

カウンセリングをしていて面白いのが、最初にクライエントに会ったときがいちばん、抱えている問題や気持ちがよくわかることです。もちろん初回ですから、大まかなことを考えているだけで、そのあと時間をかけてカウンセリングをしていきます。すると不思議なことに、カウンセリングをすればするほど、相手のことがわからなくなっていくんです。仲良くなればなるほど、相手がいまどういう状態なのかわからなくなる。最初はあんなに綺麗に景色が見えたのに、と思います。

じつはこれ、最初のカウンセリングでは大まかな方針は見えたけど、そのひとが一体何を理解されると楽になるかはその時どきで変わっていくし、いつも新しい謎を持って面接にやってくる。だから毎回、臨床心理学や精神分析の力を借りて、何らかの補助線を引き、もしかしてこういうことなのかな、と思ったことを伝えてみる。その繰り返しです。わからないものと出会うわけですから、わからないものがわかるまで、ぐじぐじと長い年月をかけてお付き合いするんです。

ぼくは、こうしてトライアンドエラーを繰り返す時間が、ひとの孤独を防いでいると思っています。一発でいいアドバイスをすることはできないけれど、次の週、そのまた次の週も、会って話をする。そうすると、解決策は見出せなくても、カウンセリングの時間がクライエントの話せる場所になっていくわけです。誰かと一緒に試行錯誤する時間をつくることができる。これがいちばん重要なことだと感じています。ぼくらがひとの内面を取り扱っている理由は、そのひとが孤独にならないようにするためだと思うのです。

Q&A

――まわりの世界を捉えるときに、どうしても自分中心で考えてしまいます。先生が考える、自分じゃない自分の捉え方を教えてください。

十代、二十代のうちは、基本的に自分じゃない自分で生きているようなものです。ぼく自身、学生時代を思い返すと、みんなと世界を共有しているはずなのに、主観的にしか世界を体験してない感覚のなかで生きていたように思います。

でも、だんだん変わってくるんですよ。だいたい三十歳をすぎてからですかね。世界にはいろんなひとがいて、そのひとたちにも心があって、みんな同じ世界にいるんだということが、理屈じゃなくわかるときが来ます。歳を重ねていくにつれて、自分じゃない自分の輪郭が少しずつ客観的に見えてくるんです。

たとえば、みなさんはこれから職業を選択するときに、基本的には自分で「この仕事をしたいな」と考えて自己決定すると思います。だけど、歳を重ねてから自分を振り返ったときに、ふと「鬱のお母さんのことを何とかしようと思っていたから、その延長で看護師になることを選んだんだ」とか、気づいたりする。自分の意志で選んでいるんだけれど、どこかで自分の意識とは別の物語が自分の人生に流れていることに気づく。そしてその物語が、自分のやってきたことを説明してくれるときがあるんです。

そう考えると、無意識というのはただの悪者じゃなくて、そのひとらしさそのものなんですね。そのひとの根底でずっと響いている物語みたいなものです。

わたしの思い出の授業、思い出の先生

Q1：思い出の授業を教えてください

高校生のときの倫理の授業です。

Q2：なぜ記憶に残っているのですか？

キリスト教の修道士がユングという心理学者について話していました。ものすごく熱心だったんです。彼はユングに惚れてたんだと思います。

でも、ユングってアンチ教会みたいなところがある人なんですね。それで実際にその先生はその後修道院を離れるんです。だからこそ、あんなに熱意があったのかもしれないですね。

Q3：その授業は人生を変えましたか？

ぼくが臨床心理学を勉強しようと思ったのは、その授業がきっかけです。ですので、完全に人生が変わったと思います。そういう出会いがあるのが学校の面白いところです。

わたしの仕事をもっと知るための3冊

東畑開人『野の医者は笑う　心の治療とは何か？』（文春文庫）

東畑開人『居るのはつらいよ　ケアとセラピーについての覚書』（医学書院）

東畑開人『聞く技術　聞いてもらう技術』（ちくま新書）

日本音楽著作権協会（出）許諾第 2401488-401 号

高校生と考える　人生の進路相談
桐光学園大学訪問授業

二〇二四年四月三十日　第一刷発行

編者　桐光学園中学校・高等学校
〒二一五―八五五五　神奈川県川崎市麻生区栗木三―一二―一
TEL：〇四四―九八七―〇五一九（代表）
http://www.toko.ed.jp

発行所　株式会社左右社
〒一五一―〇〇五一　東京都渋谷区千駄ヶ谷三―五五―一二―B1
TEL：〇三―五七八六―六〇三〇　FAX：〇三―五七八六―六〇三二
https://www.sayusha.com

装幀　松田行正＋倉橋弘

印刷　創栄図書印刷株式会社

ISBN978-4-86528-410-2

学校！　高校生と考えるコロナ禍の３６５日

桐光学園中学校・高等学校　本体１７００円

全国の小中高に臨時休校要請が出された二〇二〇年三月。前代未聞の長期休校を余儀なくされた学校で授業は？　部活は？　修学旅行は？　引退試合を無観客で迎えたサッカー部キャプテン。公演中止に泣き崩れる合唱部。マスクを取ったクラスメイトの顔に驚く高校二年生――。生徒、教員、保護者、カウンセラーらの目まぐるしい変化と現場の声を追ったノンフィクション。

高校生と考える　人生のすてきな大問題

桐光学園大学訪問授業　本体１７００円

五十嵐太郎、内山節、荻野アンナ、小野正嗣、加藤典洋、苅部直、合田正人、佐伯啓思、鈴木貞美、竹宮恵子、田原総一朗、張競、内藤千珠子、浜矩子、細見和之、本田由紀、松井孝典、松田行正、丸川哲史、森田真生

高校生と考える　21世紀の論点

桐光学園大学訪問授業　本体１８００円

阿部公彦、伊藤亜紗、井上寿一、植本一子、大崎麻子、大澤聡、樺山紘一、貴戸理恵、島田雅彦、島内裕子、竹信三恵子、多和田葉子、土井善晴、富永京子、中谷礼仁、仲野徹、野崎歓、長谷川逸子、波戸岡景太、羽生善治、早野龍五、古川日出男、穂村弘、前田司郎、丸山宗利、三中信宏、三輪眞弘、やなぎみわ、山本貴光、若松英輔